Zoom-In Southeast Asia I

줌인 동남아시아 I

Zoom-In Southeast Asia I

줌인 동남아시아 I

솔과학
SOLGWAHAK

Zoom-In Southeast Asia I

줌인 동남아시아 I

초판인쇄	2012년 4월 30일
초판발행	2012년 4월 30일
엮은이	박장식
펴낸이	김재광
펴낸곳	솔과학
출판등록	제 10-140호 1997년 2월 22일
주소	서울시 마포구 염리동 164-4 삼부골든타워 302호
대표전화	02)714-8655
팩스	02)711-4656

⊙ 이 저서는 2009년 정부교육과학기술부의 재원으로 한국연구재단의
　지원을 받아 수행된 결과임(NRF-2009-362-B00016)

ISBN	978-89-92988-71

동남아 각처에 숨겨진 보석과도 같은 문화, 예술적 요소들을 발굴하여
그 진정한 가치를 재조명하는 데에 가장 큰 목적을 두고 있다.
그래서 현대 국민국가의 경계를 벗어나 동남아라는 총체적 단위를 상정하고
동남아의 본래 모습을 하나씩 드러내 보여주고자 한다.

서문   8

미얀마

1. 깍꾸 빠오족의 불교 유적지   15

2. 잊혀진 여카인 왕국의 왕도 먀웃우를 찾아서   27

3. 미얀마 문화의 상징, 칠기   43

태국

4. 태국정치에서 바라본 색의 상징성   75

5. 태국의 벽화 엿보기   87

6. 타이도자기와 요지   104

캄보디아

7. 프리아 비히아 사원   121

베트남

8. 베트남 영화와 당넛밍 감독   148

9. 독창적인 짜잉썬마이: 베트남 옻칠 회화   159

인도네시아

10. 인도네시아 중부자바의 미술을 찾아서   169

필리핀

11. 호세리잘의 삶과 문학 그리고 필리핀   187

12. 필리핀의 종교와 의식   197

13. 필리핀과 무역 도자기   204

말레이시아

14. 말라카, 진정한 아시아   217

동남아시아

15. 선재동자 구법이야기   231

16. 붓다를 스토리텔링하다   241

17. 동남아시아 청동북   254

최근 동남아와 관련된 제 분야에 있어서 각종 지표들의 상승은 놀랄 만하다. 과연 동남아의 시대라고 해도 과언이 아닐 정도로 국제사회에서 동남아의 존재는 무시 못 할 정도로 성장을 거듭해왔다. 동남아의 사회가 느슨하다(loose)고 주장한 서구학자의 견해는 이미 폐기될 정도로 동남아의 발전은 역동적인 양상으로 변모하고 있다. 게다가 2015년 아세안공동체(ASEAN Community) 설립을 목표로 달려가고 있는 동남아 국가들은 정치적 안정과 경제적 성장을 바탕으로 더욱 결집된 모습을 보여주고 있는 것도 사실이다. 따라서 우리나라와의 관계는 실질적으로 다방면에서 한층 긴밀해지고 있고, 상호 교류도 점차 늘어나고 있는 실정이다. 이는 정치, 경제적 차원에 국한된 것이 아닌 사회, 문화적인 방면에서도 엄청난 변화가 일어나고 있는 점에서도 확인할 수 있다.

이러한 새로운 동남아의 변모와는 달리 우리의 동남아에 대한 인식은 과거의 고착된 관념에서 탈피하지 못하고 있는 것 같다. 여전히 경제적 부의 단순한 양적 비교를 통하여 폄하하기 일쑤여서 동남아가 지닌 진정한 가치를 발견하지 못하고 있는 것이 오늘날의 현실이다. 사실상 동남아는 우리의 최대 해외관광지이며, 한류의 반응이 가장 뜨거운 지역이기도 하다. 더욱이 이제 동남아인들이 한국을 찾는 숫자가 늘어나고 있고, 문화, 예술적 교류도 그 어느 때보다 활발하게 이루어지고 있다. 오랜 역사적 과정을 통하여 동남아가 품어온 문화적 전통 또한 엄청난 가치를 지니고 있지만, 지금까지 우리는 그것에 피상적인 눈길만을 주었을 뿐이다. 진정한 양 지역 간의 교류를 생각한다면, 동남아인들을 진솔하게 이해할 수 있는 작업을 이제 시작해야 할 때라고 생각한다.

동남아는 11개 국가로 구성된 지리적 개념으로 형식적인 경계성을 내포한 지역의 개념으로 이해되어서는 안 될 곳이다. 대체로 동남아라는 용어는 피상적인 지역단위의 명칭으로 사용되어 실제로는 개별국가에 한정하여 이곳을 들여다보는 것이 일반적인 시각이었다. 하지만, 풍부한 물산을 보유한 동남아는 서기 1세기경부터 중동, 인도, 중국, 유럽과의 교역으로 세상에 알려지기 시작했고, 그 결과로 세계 각지의 문명과 다양한 문화들이 유입되었다. 흔히 학자들이 얘기하는 '인도화, 중국화, 서구화'는 동남아 토양과 해양에서 성립된 교역의 흔적이라고 볼 수 있다. 여기에 동남아의 다양한 내부세계와 혼합되어 지극히 동남아 고유의 문화적 양상들이 동남아 전역에 걸쳐 비슷한 패턴으로 채색되었던 것이다. 따라서 이곳을 응시하는 시선에는 국경을 초월하여 광범위한 장면을 담을 수 있는 광각렌즈가 필요하며, 우리의 눈과 마음에 담아두기 위한 실제적 작업에는 줌인의 조절이 필요하다.

바로 그러한 마음가짐으로 본서 "줌인 동남아시아" 시리즈를 준비하였다. 연속적으로 발간될 이 시리즈에서 보여주고자 하는 것은 동남아 각처에 숨겨진 보석과도 같은 문화, 예술적 요소들을 발굴하여 그 진정한 가치를 재조명하는 데에 가장 큰 목적을 두고 있다. 그래서 현대 국민국가의 경계를 벗어나 동남아라는 총체적 단위를 상정하고 동남아의 본래 모습을 하나씩 드러내 보여주고자 한다. 이를 위하여 지난 2009년 한국연구재단에 의해 인문한국(HK, Humanities Korea)지원사업 해외지역연구소로 선정되어 "총체적 단위로서의 동남아시아의 인식과 구성"이라는 연구 과제를 수행하고 있는 부산외국어대학교 동남아지역원은 그동안 동남아문화예술 전문학술지인 『수완나부미』를 통하여 발표된 줌인 동남아 문화예술 에세이를 중심으로 동남아 곳곳의 흥미 있는 요소들을 소개해왔다. 학술지에 발표되어 일반 대중에게 소개가 되지못한 점이 아쉬워 새롭게 내용을 다듬어 이렇게 책으로 내놓게 된 것이다. 물론 이 책의 저자들은 모두가 동남아전문가로 현지를 지속적으로 넘나들면서 보고 들었던 경험을 이용하는 실천적 지역연구학자들이지만, 동남아의 실상을 알린다는 측면에서 대중과 친숙한 용어와 자신들이 직접 촬영한 사진을 내놓았다. 이번 작업을 통해서 새삼 느끼게 된 것이지만, 동남아를 제대로 알리지 못한 것도 우리들 전문가의 책임일 수도 있다는 점을 통감하였다. 동남아의 실체를 보여주기 위해 인문학적 사고와 사회과학적 연구방법 간의 번민을 거듭하고 있지만, 무엇보다 대중들의 인식이 변하지 않으면 학술적 발전이 담보되지 않는다는 사실은 분명하다. 복잡한 연구 방법이나 학설을 모두 걷어내고 저자들이 바라본 신실한 관점만을 담아 읽는 이들의 마음에 와 닿을 수 있도록 꾸미고자 하였다.

알면 알수록 새롭게 보인다는 말처럼 매번 가는 곳이지만 항상 달리 보이는 것이 많은 동남아일진데 달랑 책 한 권으로 소개한다는 것은 어불성설이다. 다양하고 복잡하다는 동남아를 명확하게 그리기 위해서 "줌인 동남아시아"는 시리즈로 계속 새로운 내용을 담아 출판할 예정이다. 책에서 풀지 못하는 내용은 동남아지역원의 웹사이트(www.iseas.kr) 멀티미디어 자료실에서 해결할 수 있도록 병행해나갈 예정이다. 열악한 연구 환경 가운데에서 동남아 알리기 최전선에서 수고하는 동남아지역원 연구교수들과 공동 연구진 및 협력 연구자들 그리고 고생하신 출판사 관계자 여러분 모두에게 감사의 뜻을 전하며, 함께 출판의 기쁨을 나누고자 한다.

2012년 3월 저자들을 대표하여

동남아지역원장 박 장 식

미 얀마

Myanmar

깍꾸
빠오족의 불교 유적지

박장식

최근 동남아시아의 문화, 특히 예술분야에 대한 관심이 고조되고 있다. 이러한 현상은 태국 방콕의 서점가에 들러보면 금방 확인할 수 있는 사실이다. 과거 정치, 경제 분야에 집중되어 출판되었던 서적들 사이에 예술, 종교, 회화, 벽화, 전통공예, 직물 등의 주제를 지닌 책들이 즐비하게 놓여 있다. 정말 몇 년 전만 하더라도 전혀 연구되리라 기대할 수 없었던 내용도 많이 있다. 게다가 캄보디아의 앙코르 유적을 필두로 일반 대중이나 관광객을 대상으로 한 동남아 각지의 유적지, 관광지에 관한 소개서도 엄청 쏟아져 있었다. 한참을 머물다 보면 어느 듯 내 품에는 한가득 책들이 안겨져 있고, 어떻게 무거운 이 책들을 가져갈지 대책도 없이 숙소로 가져가고 있다.

예술이라는 용어를 사용하고 있지만, 동남아에서 예술이란 서양의 개념과는 사뭇 다른 의미를 지니고 있다. 전통적 서구의 개념에서 보면

1 깍꾸의 사원 입구 모습. 정문 위에 '므웨도깩꾸제디'라고 미얀마어로 쓰여져 있다.
'므웨도'란 붓다의 성물(聖物)이란 의미로 이곳 사원에는 그 유물이 헌납된 곳으로 보인다.

예술(art)이란 인간의 고급문화 영역에 속하는 것만을 지칭한다. 일상 생활에서 흔히 마주치는 것에는 감히 그 고귀한 예술이란 명칭은 붙이지 못했다. 그러던 것이 이제는 인간이 만들어내는 온갖 기물을 일컬을 수가 있게 되었고, 단지 물건만 아니라 그 제작 과정이나 그 속에 담긴 정신도 예술이라고 부를 수 있게 되었다. 생활 용도의 기물을 제작하는 공예(craft)도 확연히 예술과 구분할 수 없는 지경에 이르렀다. 그러니 예술이란 이제 전지전능한 포괄적 의미를 띠게 되었다.

특히, 동남아에서 예술은 거의 종교적 행위와 밀접하게 관련되어 있다. 감히 추론하건데, 동남아에서 종교에서 자유로울 수 있는 순수예술 분야의 것은 거의 존재하지 않는다고 단정해도 틀리지 않는다고 본다. 물론, 아주 현대적인 것을 제외한다면 말이다. 그러니까 동남아의 예술을 이해하려면 우선 기본적으로 그곳 종교와 신앙체계에 대한 깊은 이해가 필요하다는 의미인 것이다. 동남아에 오래 전에 전래된 힌두교, 불교, 이슬람교 외에 그곳의 전통적 신앙을 이해할 수 있다면 동남아 예술을 음미하는 일은 매우 쉬워지지만, 그렇지 않다면 오히려 시시해 보이거나 그게 그것이라는 애착의 정이 점점 사라지는 게 일반적이다. 그러니 동남아 관광은 한 낮의 진수를 놓치고 밤 문화에 빠져드는 재미를 더 선호하는 지도 모를 일이다.

이 글에서 소개하려는 미얀마 샨주 빠오족(Pa-O)의 거주지역에 있는 깍꾸(Kakku)의 불탑군도 자칫 잘못된 이해로 그 가치를 상실될지 모를 일이나 아직 널리 알려지지 않았으니 여기서 여기서 안내해보고자 한다. 유명한 인레 호수를 지나 샨주의 주도인 따웅지(Taunggyi)의 남쪽 약 40km에 위치한 깍꾸는 최근에 외부 관광객의 접근이 허용

빠오족 현지 가이드.
빠오족 전통 의상을 차려입었는데,
머리에 독특한 모양의 두건은
빠오족 여성임을 한눈에 알아보게 한다.

되어 불과 몇 년 전만 하더라도 갈 수 없던 곳이었다. 미얀마 군부와 소수종족 빠오족의 무장집단이었던 빠오족기구(PNO, Pa-O National Organization)간에 평화협정이 체결되면서 비로소 출입이 허용되었던 곳으로 미얀마인들도 거의 가본 적이 없을 정도이다. 이곳이 유명세를 타게 된 것은 높이 4m 정도의 불탑이 거의 2700기 가량 축조되어 있는 그야말로 스펙터클한 광경 때문이다. 미얀마의 고도인 버강(Bagan)을 가본 사람들이 여기를 방문한다면 버강의 축소판이라고 감탄하게 될 정도이다. 깍꾸에 다다르면 우선 사원 입구 양쪽에 펼쳐져 있는 보리수의 숲과 그 사이에 수많은 파고다 군집이 방문객의 시야를 압도한다. 도대체 이렇게 먼 오지에 그 엄청난 사원이 세워져 있다는 사실에 신비감을 더하게 된다.

깍꾸까지 오는 것은 사실 쉬운 일은 아니다. 우선 대중교통 수단이 없기 때문에 개인적으로 교통수단을 구해야 하고, 이 지역의 소유권을 갖고 있는 PNO 소유의 Golden Island Cottages의 출입허가를 받아야 하는데, 인레 호수나 따웅지에 있는 빠오출입관리소(Pa-O Collective

Office)에 들러 입장료(일인당 3달러)를 지불하고 동반하는 빠오족 가이드(일인당 5달러)의 안내를 받아야 한다. 지도상으로 보면 따웅지에서 깍꾸까지는 철도가 놓여있지만, 외부인은 이용할 수 없으니 반드시 승용차로 가야한다.

이제 갈 준비는 끝난 셈이니 두 차례에 걸친 검문소를 통과하면 빠오족의 거주지가 시작된다. 군데군데 도로가 손상된 곳이 있지만 그래도 포장된 것이라 우기에도 크게 지장 없이 갈 수 있다. 가는 도중에 빠오족의 생활 면모를 엿볼 수 있고, 빠오족이 주로 경작하는 마늘 경작 풍경도 눈에 자주 띈다. 따웅지에서 약 40km의 거리라고 했지만, 역시 도로 사정이 좋지 않아 1시간 반 가량이 소요되는 것 같다. 우기에는 2시간 이상 잡아야 할 것이다. 깍꾸에 가는 도중 동승한 빠오족의 가이드는 유창하진 않지만 영어로 이런저런 설명을 곁들이고 방문객의 질문에도 아주 착실히 답해준다. 빠오족에 관하여 궁금한 점은 이렇게 가는 도중에 해결할 수 있으니 가이드 사용 의무가 꼭 나쁘지 만은 않은 것 같다.

깍꾸에 도착하면 큰 보리수의 군집을 우선 보게 되고 차량에서 내리면 왼쪽에 장엄한 사원군의 광경에 압도당하게 된다. 제일 먼저 눈에 들어오는 것은 미얀마에 도착해서 흔히 보았던 파고다와는 다른 아주 작은 사이즈의 파고다가 수도 없이 앞을 가로 막고 있다는 사실이다. 정확히 4.5m 정도의 높이라고 보면 되는데 크기는 별 것 아니라고 여길지 모르지만, 그 수가 2700기가 있다는 것이 감탄을 자아내게 한다.

최근에 대대적인 보수 공사를 한 흔적이 여기저기 보인다. 파고다 사이에 포장된 관람도가 깔려있고, 무너진 파고다를 새로 세우고 부서진 부분은 새롭게 만들어 붙인 자국이 선명하다. 이를 두고서 무턱대고 유

3 사원군의 내부로 들어가면 사진에 보이는 광경은 어디서든 시야에 들어온다.

적에 함부로 손을 대어 망쳐놓는다고 불만을 토로하는 외국 관광객이 많지만, 이는 미얀마의 불교를 잘 모르고 하는 얘기다. 새로운 파고다를 짓는 일은 미얀마 불교도에게 있어서 가장 큰 공덕을 쌓는 일이지만, 그에 못지않게 파고다를 보수하는 일도 굉장한 공덕을 쌓는 것이기에 미얀마 도처에서 파고다 보수의 흔적을 보는 일은 흔하다.

이곳 사원군의 형성 시기에 대해서는 여러 의견이 있다. 아직 정확하게 밝혀진 것은 없지만, 미얀마 역사학자 딴뚱(Than Tun)에 의하면 파고다의 유형으로 판단하건데 공바웅 왕조의 보도퍼야 시대인 1800년 전후의 것으로 알려져 있다. 현지의 전설에 의하면 기원전 인도 아소카 대왕이 파견했다고 여기는 불교선교단에 그 기원을 두고 있기도 하지만, 사원의 유형을 볼 때 이를 뒷받침할 만한 근거는 없어 보인다. 다

사원 외부의 조각상들의 두상은
모두 최근에 보수된 흔적이 보인다.
재료는 홍토석이다.

만 그 지역 사람들이 확실히 믿는 것은 이곳에 붓다의 성물이 봉헌되어
있다는 사실인데, 그 성물은 주로 붓다가 생활 속에서 사용하던 용기나
기물이라고 한다.

　파고다의 건축 재료로 벽돌이나 홍토석(laterite)이 주로 사용되었다.
벽돌은 석재가 귀한 미얀마의 주요한 건축 재료이며 전국에 걸쳐 벽돌
이 가장 많이 쓰인다. 홍토석은 황토가 지면 속에서 단단히 굳은 것으
로 진한 황토색을 드러내기 때문에 사원의 건축 자재로 많이 사용된다.
앙코르 유적지에서는 사암(sandstone)을 사용하지만, 내부 공벽을 채
우는데 홍토석을 주로 사용하였다. 홍토석은 단단해서 내부 자재로 사
용하기 안성맞춤이지만 습기에 약하고 외부에 노출되면 잘 부서지고 시
커멓게 변하기 때문에 부조나 조각용으로는 부적절한 재료이다. 석재가
귀한 미얀마에서는 치장 기술을 발휘할 수 없는 벽돌 대신에 그나마 외
부 장식용으로 홍토석을 사용하는 것으로 만족하는 것 같다. 홍토석이
귀한 지역에서는 벽돌 외부에 회반죽(stucco)을 사용하기도 하는데, 이
곳에서도 회칠을 볼 수 있다. 하지만, 회반죽은 장식 가공은 용이한 장
점이 있지만, 습기에 약해서 우기에 집중적으로 비가 많이 내리는 동남

아에서는 좋은 자재가 아니다. 그럼에도 외부 벽면을 가공할 만한 적절한 석재가 귀한 곳에서는 많이 사용되고 있다. 앙코르의 초기에도 사암이 본격적으로 사용되기 이전에는 회반죽이 외벽을 치장하는 재료로 주로 사용되었다.

높이가 4~5m가 되는 파고다의 유형은 두말할 나위 없이 샨족의 타입이다. 샨주를 여행해 본 사람이라면 버마족이 주로 거주하는 중앙평원지역의 파고다와는 상당히 다르다는 점을 금방 파악할 수 있을 정도로 샨 고원의 파고다는 크기 보다는 개수가 많다는 데에 특징이 있다. 작은 사이즈의 파고다는 견고성이 떨어져 사실 오래 가지 못한다. 인레 호수 동쪽에 위치한 인데잉(Indein) 유적지에도 깍꾸에서 볼 수 있는 유형의 파고다를 만날 수 있다. 역시 그곳의 파고다도 샨족의 타입이며 보존 상태가 좋지 않아 금방이라도 무너져 내릴 것 같은 파고다가 제법 있다. 이곳은 깍꾸와는 달리 관리를 책임지고 있는 기관이나 지역이 없는 것 같다.

하지만 인데잉과 깍꾸에서의 파고다의 감상 포인트는 전혀 다르다. 깍꾸의 파고다는 좀 더 가까이 다가가 자세히 관찰할 필요가 있다. 쉽게 올 수 없는 곳인데 대충 바라보고 그 규모에만 감탄하고 돌아가기에는 너무 아쉽고, 지불한 비용에 비하여 비효율적인 여행이 아닌가? 파고다 하나하나에는 여러 의미가 숨겨져 있다. 보도퍼야에 의해 착공되었다는 사실은 아마도 파고다 외벽 곳곳에 버마족 머리 모양을 한 조상이 제법 자리를 잡고 있기 때문이다. 위에서 볼 수 있는 왼쪽 여성과 오른쪽 남성 두 명은 영락없이 버마족의 의상을 하고 있다. 샨족이라면 바지를 입을 것임에 틀림없기 때문이다. 일반적으로 붓다의 전생을 그

5 인데잉의 사원군. 금방 무너져 내릴 듯한 파고다가 무척 많다. 외형적으로 보면 전통적인 샨족 타입이며 깍꾸의 파고다와 유사한 점이 많다.

린 자타카의 스토리가 외벽을 치장할 법도 한데 여기서는 힌두교의 신화들도 제법 나온다. 흔히 알고 있는 라마야나의 장면도 나온다. 라마와 그를 돕는 원숭이 하누만의 모습도 찾을 수 있다. 버마족의 파고다에서 결코 볼 수 없는 장면이다.

　물론 현지 가이드가 모든 것을 다 설명할 수는 없겠지만, 이 정도의 지식을 갖춘다면 깍꾸로의 여행은 충분히 즐겁고도 남음이 있다. 2700기의 파고다를 다 들여다 볼 수는 없어도 서로 다른 외양을 보고 즐기는 재미는 충분히 느낄 수 있고, 불자라면 이 엄청난 규모의 사원군을 건축한 사람들의 신앙심과 그들이 품었던 바람을 깨달을 수 있을 것이라고 생각한다.

이글은 「수완나부미」 제 1권 제 1호에 게재된 글을 수정 · 보완한 것이다.

잊혀진 여카인 왕국의 왕도
마웃우를 찾아서

박장식

15세기 초에 발흥하여 버마족 공바웅(Konbaung) 왕조의 보도퍼야 (Bodawpaya)왕에 의해 1784년 멸망했던 여카인(Rakhine)왕국의 고 도 마웃우(Mrauk-U)를 찾아가기 위해서는 험난한 여정을 각오해야 한다. 버마족의 고도 버강(Bagan)만큼은 아니지만 그것에 결코 뒤지지 않는 유적을 간직하고 있으면서도 외부에는 그리 잘 알려져 있지 않은 마웃우 는 그 명성에 비해서 열악한 교통수단 탓에 일 년에 고작 4천 명 정도만 이 방문하는 곳이다. 여카인주의 최대 관광지이니 교통편은 잘 마련되어 있을 것이라고 생각한다면 큰 오산이다. 그 동안 문헌이나 사진을 통해 서 그 웅장한 모습을 자주 접해온 탓에 유명한 유적지인 만큼 가는 길이 야 어렵지 않을 것이라고 여겼던 것이 사실이다. 하지만, 실제로 교통수 단을 구하는 것이 쉽지 않아 그에 따른 비용도 상상을 초월한다.

미얀마 양곤에서 비행기로 한 시간 거리에 있는 여카인주의 주도 싯뛔

(Sittwe)로 가서 강폭을 어림할 수 없을 정도로 넓은 껄라당(Kaladan) 강을 거슬러 올라가야 한다. 사전에 먀웃우로 가기 위한 선박을 구해두지 않으면, 오전에 싯뛔에 도착해도 먀웃우로 직행한다는 보장은 없다. 보통 싯뛔에서 먀웃우까지는 어선을 개조한 유람선이 몇 척 있긴 하지만, 대부분 여행사의 사전 예약에 의해 운행되고 있어 당일 무작정 배편을 구한다는 것은 거의 불가능한 일이다. 개조된 유람선의 경우, 편도로 약 7~8시간이 소요되니 싯뛔 도착 즉시 배편을 구하지 못하면 당일 출발은 어렵다. 갑작스런 돌풍으로 인한 사고를 예방하기 위하여 미얀마 정부가 늦은 오후 출항을 금지하고 있기 때문이다. 시간을 절약하려면, 구하기 힘들긴 해도 2시간 정도면 먀웃우에 도착할 수 있는 스피드보트가 있다. 최대 3박4일까지 자그마치 300달러를 요구한다. 소형 보트에 야마하 엔진 하나를 장착한 것으로 엄청난 속도로 질주하여 순식간에 목적지에 도착한다. 눈물이 날 만큼 비싸긴 해도, 여러 가지 부수적인 일들을 감안할 때, 스피드보트의 고비용은 나름대로 값어치를 한다. 아무튼 먀웃우의 여정은 양곤에서 치밀한 계획을 세워 사전에 준비한 후 출발하는 것이 최선책인 것 같다. 이곳만큼은 타 지역에서 으레 해왔던 도착 이후 알아보기 식의 임기응변적인 일정잡기는 통하지 않는다.

1

여카인주의 주도 싯뛔의
조용하고 한가로운 포구의 모습
출처: 필자 사진

뱅갈만의 풍부한 수산자원의 집산지로, 최근 뱅갈만에서 엄청난 매장량을 자랑하는 천연가스전의 발견으로 그 어느 때보다 여카인주의 최대 도시이자 먀웃우의 첫 관문인 싯뛔는 활기에 차있을 거라는 짐작은 여지없이 빗나간다. 사실 최종 목적지인 먀웃우도 중요하지만, 영국의 식민지배 초기에 중심지로 부상했던 싯뛔를 보는 것도 의미 있는 것이기에 내심 기대가 큰 것도 사실이었다. 미얀마의 핵심지역이 아닌 소수종족 여카인족의 도시라는 시각을 가지고 간다면 그 정도로 실망하지 않겠지만, 오랜 기간 미얀마를 연구해온 입장에서는 한마디로 기대 이하의 광경이 눈앞에 펼쳐진다. 저녁식사로 이곳의 명물인 타이거새우 큰 놈을 먹어보겠다던 생각도 접어야했고, 새로운 자원의 발견으로 이 도시는 무척 분주할 거라는 예상도 날아가 버렸다. 여전히 식민지풍의 조용한 포구 마을의 정겨운 풍경 그 이상도 그 이하도 아니었다.

우여곡절을 거쳐 급히 개조한 스피드보트를 구해 싯뛔 포구를 떠났다. 그래도 좀 괜찮아 보이는 스피드보트는 모두 무슬림 로힝자족(Rohingya)의 대규모 난민사태와 관련된 UNHCR(유엔난민고등판무)에서 사용하는 것이어서 일반인들의 이용은 불가능하였다. 자 이제 본격적인 먀웃우를 향하여 출발이다. 껄라당강은 상상을 초월할 만큼 넓고 넓다. 강폭이 커서 바닷물이 역류해서 올라갈 정도이며, 실제로 강물도 짠맛이 많이 난다. 그래서 상류로 올라갈 때에는 시간도 단축되며, 오히려 하류로 내려올 때에는 해수의 역류 작용으로 상류로 거슬러 올라가는 느낌이다. 껄라당강의 중류쯤에는 우유빛 강물을 만난다. 게다가 파문도 거의 없고 잔잔한 물안개가 피어올라 마치 천국에 와있는듯 착각이 들 정도이다. 참으로 오랜만에 느껴보는 적막감이 영혼 깊숙이 침잠되었다.

우유빛깔의 껄라당강의 모습.
강폭이 하도 넓어
바다 같은
착각이 들 정도이다.

이윽고 먀웃우에 가까워지면 좁은 지류로 들어가 강가의 크고 작은 마을들을 만나고, 조각배를 타고 이동하는 여카인족 사람들과 조우한다. 스피드보트가 뿜어내는 큰 파문이 그들의 조각배를 위협하지만, 보트 운전자가 속도를 늦춰주어 안전 운항을 돕는 배려를 아끼지 않는다. 그런 여유로운 마음과 아늑한 주변 광경이 어우러져 2시간이라는 시간이 전혀 길게 느끼지 않는다. 넓은 들판에 추수가 끝나 쌓아올린 볏단과 한가롭게 노니는 물소들의 모습을 지켜보고 있으면, 싯뒈에서 배를 구하기 위해 동분서주했던 급한 맘들이 어느새 다 지워져 버린다. 정주해서 살 순 없겠지만, 때로는 이런 곳에 찾아와 장기간 머물러 보고 싶다는 생각이 간절하게솟구친다.

이미 연락을 받고 기다리고 있던 가이드가 손짓을 하고 있는 먀웃우의 선착장은 이미 예상했던 대로 작은 규모이다. 도저히 시동이 걸리지 않을 것 같은 지프차에 올라타 일단 숙소로 가면서 먀웃우의 실체를 조금씩 발견한다. 미얀마 여행길에서 항상 느끼는 것이지만, 여기서도 타자와의 조우에서 발생하는 경외감이 전율처럼 흐르게 된다. 창밖으로

힐끗 보이는 여카인 왕국의 흔적들이 벌써 카메라를 쥔손을 움직여 뷰
파인더로 시선을 옮겨놓게 한다.

언어 분류상 여카인어가 미얀마어와 유사하다고 해서 여카인족을 버
마족의 일부로 여기는 것은 큰 오산이다. 언어나 문화 요소의 유사성으
로 종족정체성을 결부시키는 것은 미얀마에서는 통하지 않는다. 사실 미
얀마어와 유사하다고 여기는 여카인어를 잘 알아들을 수 없을 정도로 이
해하기 힘들었다. 따라서 이곳은 미얀마 중심부의 버마족과는 다른 정체
성을 지닌 여카인족의 본고장이라 할 수 있고, 그런 측면에서 이질적인
요소들이 눈에 많이 띈다. 결론적으로 여카인족은 버마족과 다른 정체성
을 지니고 있고, 결코 동일한 것으로 여겨서는 안 된다는 것이다.

먀웃우는 여카인 왕국의 유일한 왕도가 아니다. 4세기 중엽부터 발흥
한 여카인 왕국은 18세기에 이르기까지 모두 4개의 왕도가 존재했다. 먀
웃우는 그 중에서 가장 마지막 왕도였고, 이전에 3개의 왕도가 이 지역
주변에 아직도 그 흔적을 남기고 있다. 먀웃우의 북쪽으로 30km 떨어진
곳에 인도화의 흔적이 고스란히 남아있는 단야워디(Dhanyawadi, 4 세

기 중반에서 6세기 초)가 최초의 왕도로 알려져 있고, 6세기에서 8세기까지는 그 아래쪽에 위치한 웨따리(Wethali)가 두 번째 왕도였다가, 그 이후인 11세기에서 15세기 초까지 레묘(Le-Mro)에 왕도가 자리 잡았다. 그러니까 지금 소개하려는 먀웃우는 네 번째이며 마지막 왕도인 셈이다. 지리적으로 보면, 단야워디를 제외하고 나머지 세 왕도는 먀웃우 주변에 몰려있는 형세이다. 짧은 체재 기간 동안 나머지 세 곳을 둘러보지 못하는 아쉬움이 남지만, 먀웃우의 왕궁터 내에 자리한 박물관의 전시품을 보는 것으로 일단 만족해야 한다.

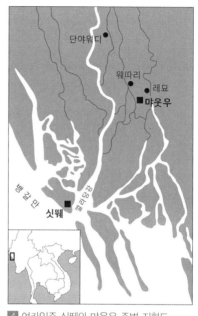

4 여카인주 싯뛔와 먀웃우 주변 지형도

한마디로 고도(古都) 먀웃우는 지형적으로 난공불락의 요새이다. 서쪽과 남쪽은 껄라당강의 복잡한 지류와 호수로 둘러싸여 있고, 동쪽과 북쪽

5
남쪽 렛세 호수의 출입구.
그 양측으로 둑이 세워져 있는데, 물을 가두어 두는 역할 외에도 외부의 적을 막는 방어체계의 일부이기도 하다.

은 그리 높지 않지만 산이 이어져 있어 쉽게 정복될 수있는 곳은 아니다.

　게다가 동쪽 지역은 벼농사에 유리한 넓은 평지가 있어 많은 인구를 수용하기에도 전혀 문제가 없어 보인다. 이 정도 규모라면 이곳은 단순히 소왕국의 터전이라기보다는 버마족의 버강이나 크메르의 앙코르에 견줄 만한 도시문명이 존재했다고 해도 지나친과장은 아닐 것 같다. 실제로 먀웃우의 전성기였던 16세기 중엽에서 17세기 중엽에는 아시아 및 유럽 각 지역과 활발한 교역을 했던 것으로 알려져 있다. 그 당시에 이곳을 방문했던 홀란드 상인은 먀웃우를 런던과암스테르담과 견줄 만한 아시아의 부자 도시로 부르기도 했다. 먀웃우의 포구 건너편 다잉지(Daingri) 호수 주변에는 과거 유럽 상인들의 거주지 흔적이 남아있다.

　대체적으로 여카인 왕국의 불교 유적은 미얀마의 핵심영역에서 볼 수 있는 몬족(Mon)과 버마족(Burman)의 상좌불교의 것과 비교해 볼 때, 유사점보다는 차이점이 오히려 많은 것 같다. 사원의 외형적 모양과 가람 배치 및 내부구조뿐만 아니라, 건축재료에 있어서도 확연한 차이를 보여주고 있다. 버마족이 건축한 불교사원에 익숙한 사람들에게는 더더욱 그 차이는 분명하게 드러난다. 그런 점에서 여기 소개하는 먀웃우의

6
먀웃우의 동쪽
꼬따웅(Koe-thaung) 사원 주위로 펼쳐진
경작지의 전경.
건기에 농업용수만 제대로 공급된다면
벼농사에 필요한 토지는 얼마든지 널려 있다.

7 둥근 원통형의 탑으로 둘러싸인 싯따웅 사원. 중앙 불상이 안치되어 있는 지붕은 버마족의
사원 형식과 유사하지만, 화강암으로 만들어진 둥근 탑 형식 은 먀웃우의 고유 양식이다.

가장 중심적인 불교사원인 싯따웅(Shite-thaung) 사원을 살펴보기로 한다.

불상 8만개의 의미를 지닌 싯따웅 사원은 먀웃우 시대의 전성기였던 밍빙(Min Bin, 여카인어로는 몽봉) 왕이 인도 뱅갈을 점령한 직후인 1536년에 건축한 것으로 알려져 있다. 버마족의 불교사원과 무갈제국 이전의 뱅갈 이슬람 양식이 혼재되어 있다고는 하지만, 독특한 먀웃우의 건축양식을 보여준다. 특히, 싯따웅 사원 서편의 아치형의 벽면과 내부 회랑 천정의 돔(dome) 형식은 이슬람 양식으로 여겨진다.

⑨ 싯따웅 사원의 내측 회랑. 왼쪽 벽면에 6층 부조가 보인다. 그 부조 표면에는 먀웃우 특유의 양식인 색상이 덧입혀져 있다.

뽀카웅(Pokhaung) 언덕의 서쪽 경사면을 이용하여 건축된 싯따웅 사원은 우선 벽돌이 아닌 화강암을 주 건축재료로 사용하고 있다. 이는 버마족 사원이 벽돌을 사용하고 있는 것과는 완전히 차이가 난다. 벽돌을 사용하면 치장 부조나 조각을 새길 때에 석회를 발라 응고시켜 이용하는 것(stucco)과는 근본적으로 다르다. 다만, 화강암의 경우 견고하긴 하지만 세밀한 새김이 불가능해 다소 투박한 느낌을 준다. 싯따웅 사원은 중앙 불상보다는 돔 구조의 천정을 지닌 내부 회랑의 한쪽벽면에 자리 잡고 있는 6층 부조가 눈길을 끈다. 1층에서 5층까지는 붓다의 전생을 다룬 본생담(jataka)의 내용과 당시 먀웃우 문화적 면면이 새겨져 있다. 맨 위 6층에는 브라만과 신의 모습이 등장한다.

또한, 뱅갈지방의 무슬림을 정복한 밍빙 왕은 이 사원의 건축에 있어서 자신을 불교도왕의 최고권력자인 전륜성왕(轉輪聖王, cakravartin)으로 표현하고 있다는 점이 감상의 핵심 포인트 중의 하나이다. 그런 모습은 내부 회랑의 부조에서 천둥과 비를 주관하는 인드라(Indra)로 나타나고 있다. 이는 인드라의 승용동물인 코끼리로 상징되는 아이라와타(Airavata)에 올라타 있는 형상에

10 싯따웅 사원의 건축자 밍빙왕과 그 왕비.

서 쉽게 찾을 수 있으며, 그 곁에 왕비와 시녀를 동반하고 있다. 인드라는 불교에서 샤끄라(Sakra, 帝釋天)로도 여겨지며, 붓다의 보호자의 역할을 하는 점에서 전륜성왕을 꿈꾸는 불교도왕에게는 최고의 대상이 되었던 것이다.

불교사원이긴 하지만, 인도 영향이 강하여 버마족 불교사원에서 보기 어려운 힌두신의 모습도 발견된다. 인드라 외에도 태양을 상징하는 수르야(Surya)도 눈에 들어온다. 전륜성왕에게는 우주의 중심인 메루산(Mt. Meru, 須彌山)을 움직일 수 있는 수르야의 존재가 필수적이다.

특히, 이곳에서는 내부 회랑의 부조에 있어서는 단조로운 표현을 피하기 위하여 화강암표면에 색상을 덧입혀화려함을 나타내고 있다. 다양한 색상이 엿보이는데, 후대에 입혀진 것이 아닌 당시의 색상이 아직 남아 있다. 게다가 생물의 눈동자에 검은색을 칠하는 것도 이곳 부조의 특징으로 화강암의 단조로움에 생동감을 표현하기 위한 수단으로 보인다.

11 말이 끄는 전차를 타고 있는 수르야의 모습

싯따웅 사원의 부조나 조각에 있어서 미얀마 타 지역의 불교사원들과 두드러지게 눈에 들어오는 것은 앞에서 언급한 것 외에도 불상의 두상 모양과 성스러운 사원에서 도저히 표현될 수 어렵다고 여겨지는 에로틱한 장면들이다. 관람자의 호기심을 자아내는 (?) 이른바 불경스런 표현들이 이곳에서 발견되는 것은 무척·흥미

12 싯따웅 사원에는 당시의 문화나 생활상을 엿볼 수 있는 장면이 부조에 새겨져 있어 귀중한 사료의 가치를 담고 있다. 인물들의 눈이 검정색이 칠해져 있는 것은 이곳 부조의 특징에 속한다.

13
꼬따웅 사원의 불상의 모습.
두발의 모양이나 얼굴의 표현이
타 지역과 확연히 구별된다.
대체로 볼륨감 있는 손과 팔 및 다리의 모양도
먀웃우 양식이라고 규정할 수 있다.

14 이른 아침 동트기 직전 마웃우의 모습은 붉은색과 물안개의 조화로
형용할 수 없는 볼거리를 제공한다.

로운 사실이다. 불상의 두상에 있어서 표준적인 인도풍의 곱슬머리 표현은 적어도 먀웃우에서는 찾아보기 힘들다. 게다가 불상의 얼굴은 여카인족의 남성들의 모습을 그대로 재현하고 있다는 점도 매우 특이하다.

먀웃우 주변에는 여전히 800기가 넘는 사원이나 탑이 존재한다고 한다. 물론, 버강의 사원군에 비해서는 그 수가 많지 않지만, 사원의 양식이나 치장 기술에 있어서 미얀마의 몬족, 버마족 스타일로 대표되는 주류적 양식과는 상당한 차이를 보여주고 있다. 그 차이를 발견하는 작업은 미얀마 관광의 또 다른 즐거움에 속한다. 게다가 유적지의 풍경도 다른 곳과 비교하여 손색이 없을 정도로 너무나 아름다워 여정의 고생길도 어느덧 사라지고 만다.

강, 호수를 비롯한 풍부한 수자원, 강유역의 기름진 평원 및 낮은 구릉들로 이루어진 지형적 이점은 이 지역에서 강성한 왕국이 터전을 잡기에 손색이 없었고, 인도와 지리적으로 인접한 이유로 인도문명이 쉽게 유입이 될 수 있어, 특히 미얀마 다른 지역에서 볼 수 없는 이슬람 양식의 영향을 고려한다면, 먀웃우의 문명세계는 버마족과 뚜렷하게 구별되는 문화적 특색을 품고 있다고 할 수 있다. 그럼에도 불구하고, 현대 외부세계의 주목을 받지 못하고 있는 것은 순전히 소수종족으로 간주되는 여카인족의 토지에 이 유적이 위치하고 있다는 사실 때문일 것이다. 서두에서 언급한 바와 같이 외부방문객이 쉽게 접근할 수 없는 교통의 문제가 해결된다면, 가까운 시일 내에 이곳은 또 하나의 숨겨져 있는 신비의 유적지로 많은 사람들이 찾게 될 것이라고 확신한다.

이글은 「수완나부미」 제 1권 제 2호에 게재된 글을 수정·보완한 것이다.

미얀마 문화의 상징, 칠기

김인아

　동남아시아의 예술 분야에 관한 중요한 연구는 역사적으로 이 지역에 큰 영향을 미쳐온 힌두교와 불교적 종교 건축물에 집중되어 있다고 해도 과언이 아니다. 물론, 종교 건축물들은 이들이 동남아시아의 초기 왕국들의 형성과 그 역사적 발전 과정에 지대한 영향을 끼친 점을 고려하거나 현재 잔존해 있는 역사적 유물들을 살펴볼 때에 동남아시아 예술의 중요한 연구주제인 만큼 많은 학자들의 관심이 쏠리지 않을 수 없을 것이다. 예술 분야의 연구 문헌이 대부분 인도의 영향에 관한 것이 주류를 이루고 있는 것도 그 때문일 것이다. 하지만, 큰 규모의 역사적 조형물 외에 현지의 생활에서 흔히 눈에 띄는 공예품에도 동남아시아의 역사와 문화를 이해하는 중요한 의미가 담겨있다는 사실은 큰 주목을 받지 못하는 것 같다.

　여러 공예품 중에서도 아직도 중국을 비롯하여, 한국과 일본뿐만 아니라 미얀마, 태국, 라오스, 베트남 등 동남아시아의 여러 국가에서 전통적인 방식으로 지속적으로 제작되고 있는 칠기(漆器)는 현재의 일상생활 속에 사용되는 단순한 생활도구로만 인식되고 있어, 그 속에 담겨있는 중요한 역사적, 사회문화적 함의를 발견할 수 있다는 점은 지금까지 너무나 간과되어 왔다. 즉 미얀마의 칠기에는 이 지역 문화의 총체적인 모습이 감추어져 있다고 할 수 있다. 칠기는 미얀마의 다양한 민족들의 역사와 더불어 발달했으며, 불교 또는 정령숭배 같은 종교 및 신앙생활 또는 일상생활이나 관습이 얽혀 있다. 이는 칠기가 일반적인 식기의 용도 외에도 종교적인 의례용기, 악기, 가구 및 건축물의 실내장식 등 특정한 부문에 국한되지 않고 광범위하게 사용되고 있기 때문이다. 최근에 새로 발행된 액면가 50짯(kyat) 지폐에 칠기가 도안으로 사용된 사실에서도 미얀마의 칠기가 지니는 그러한 사회적 의미를 엿볼 수 있다.

동남아시아의 타 지역에 비해 미얀마에서는 여전히 칠기 수요가 높고, 칠기 제작기술이 발전을 거듭하고 있는 데에는 몇 가지의 이유가 있다. 60년 넘게 영국의 식민 지배를 받았던 미얀마는 양공(Yangon)을 비롯한 몇몇 대도시를 제외하면 서구문명의 영향이 그다지 크지 않아 전통적인 공예품의 생산이 오늘날에도 지속적으로 이루어지고 있다. 또한, 1960년대부터 현재에 이르기까지 오랜 기간의 군부통치가 가져온 폐쇄적인 정치, 경제 구조로 인하여 현대적인 산업화가 느리게 진행되었다는 점도 전통적인 가내 수공업이 유지될 수 있는 요인이 되었다.

1988년 초부터 도입된 군부의 제한적인 경제개방 정책은 부분적으로 전통적인 상좌불교의 문화적 유산을 간직하고 있는 미얀마의 관광 붐으로 이어졌다. 관광의 활성화와 더불어 외국인 관광객이 늘어남에 따라 미얀마 토산품인 전통 수공예품 판매는 획기적인 계기를 맞이하게 되었다. 특히 그 중에서도 타 지역에서 흔히 찾아볼 수 없었던 미얀마 칠기는 외국인 관광객들의 시선을 사로잡는 주요 품목으로 자리 잡게 되었고, 이로써 새로운 수요 시장을 찾은 칠기 공방은 현대적 혁신을 통해 칠기의 예술성을 한층 끌어올리는 데 매진할 수 있게 되었다.

하지만, 미얀마의 칠기가 그 제작기술의 도입 이후 줄곧 전통적 제작 방식에만 의존하다가 현대에 이르러서야 비로소 그 전통에 새로운 변화를 가하게 되었다는 것을 의미하는 것은 아니다. 미얀마의 칠기공예는 전통적인 방식의 고수보다는 시대의 변화에 따라 적절하고도 다양한 제작 기법과 문양의 개발을 통하여 그 생명력을 강인하게 유지해왔다. 이로써 미얀마 칠기는 현대에도 변함없이 실용적 공예품 또는 예술문화적 매체로써 굳건히 그 자리를 고수하고 있는 것이다.

미얀마의 칠기 및 그 공예 기술은 사회적으로 매우 중요한 위치를 점하고 있으면서도 그 역사적인 자취는 매우 모호하다. 이것은 미얀마 왕조시대에 있어서 역사적 기록의 부실과 칠기가 지니는 재료의 내구성의 문제로 인하여 잔존하는 공예품이 거의 없다는 사실에 기인한다. 이렇듯 사료적 제한성에도 불구하고 미얀마의 칠기는 지속적인 연구의 가치를 지니는 중요한 문화적 상징물이다.

이 글에서는 미얀마 칠기의 전개를 살펴보고, 시대의 흐름에 따라 등장했던 특별한 의미의 칠기 사례를 포괄적으로 들여다볼 것이다. 아울러 미얀마 칠기가 지니는 사회·문화적 의미는 무엇인지도 살펴볼 것이다.

미얀마 칠기의 전래와 발전

수액을 사용하여 방수 효과를 얻을 수 있는 방법은 선사시대부터 사용되어온 인류의 오래된 발명품이다. 그러나 수액 가운데서도 칠(漆)은 일단 가공되면 수액 자체의 독성도 없어지고 다른 재료보다 일정기간의 내구성도 있으며, 표면 광택도 좋아 각종 장식을 새길 수 있어 예술적 가치도 높다는 측면에서 오래 동안 생활용기에 사용되어 왔다. 또한, 단순한 생활공예품의 용도를 넘어 장인들의 제작기술 발전에 힘입어 종교적인 의례에 사용되는 기물에도 널리 이용되었다. 그 외에도 칠기는 다양한 사회문화적 영역으로 확산되어 악기, 가구, 선박, 건축물 등에도 빠짐없이 등장하는 중요한 문화적 도구가 되었다.

이러한 칠의 사용은 이론의 여지없이 중국에 그 기원을 두고 있다. 최초로 사용된 시기에 대해서는 분명하지 않으나 신석기시대로 올라가 채도(彩陶)문화와 함께 칠기가 출현하여 청동기와 더불어 발달하였을 것으로 추정하기도 하고, 그보다 훨씬 이전인 BC 4000년 이전으로 거슬러 올라가기도 한다. 그 이후로 한국과 일본에 전파되었고 나중에 동남아시아 각 지역으로도 칠기 제작기술이 알려진 것으로 간주된다. 특히, 한반도에서의 칠기의 등장은 시베리아 타가르(Tagar) 청동기 문화가 팽창하면서 중국 북부와 만주 및 한반도에 이르기까지 무문토기 민족 이동에 따라 중원(中原)의 칠문화를 받아들이게 되었고 BC 3세기경에 한반도에 영향을 미친 것으로 추정하고 있다. 동북아시아에서는 중국과 활발한 접촉과 교류가 있었기 때문에 동남아보다는 훨씬 빠른 시기에 칠기가 도래할 수밖에 없었을 것이다.

그 반면에 동남아시아의 칠기의 기원에 대해서는 관련 문헌사료가 거의 없다는 점에서 동북아시아보다 더욱 추정하기가 어렵다. 미얀마의 경우에만 하더라도 옻칠의 언급이 9세기에 나타나고 오늘날과 같은 칠기가 12세기가 되어서야 언급되는 것으로 보아 동남아시아의 칠기 도래는 시기적으로 늦고, 그 발전의 양상에 있어서도 매우 차이가 있을 것이라는 사실을 쉽게 추정할 수 있다. 우선 중원에서 발달한 칠기가 동남아시아로 전래되기 위해서는 험난한 산악지대를 넘어야 하는 지리적 단점이 있었고, 고대에 있어서 양 지역 간의 교류도 동북아보다 그다지 활발하지 못하였다는 점은 이를 뒷받침해 준다. 게다가 칠기에 사용되는 생칠의 종류나 칠기 재료가 완전히 달라 제작기법에서 차이가 많이 나며, 지역적으로 문화적 차이에 따른 특수성이 칠기 제작에 크게 영향을 미쳐 칠기의 종류에 있어서도 상당히 대조적이다. 이것으로 미루어 보아 중국에서 전래된 칠기가 단순한 모방 제작에 그치지 않고 지역마다 독자적인 기술혁신이 이루어졌음을 짐작할 수 있다. 단지 확실한 것은 칠기의 색채 장식 중에서 주홍색 안료로 사용되는 진사(辰砂, cinnabar)는 주로 중국에서 수입되는 것으로 채색 칠기의 기원이 중국임을 입증하는 근거가 된다는 점이다.

동남아시아의 칠기는 대체로 오늘날의 국가의 경계로 말하자면, 미얀마, 태국, 라오스, 캄보디아, 베트남에서 많이 제작되었고, 도서부 동남아시아에서도 칠기가 제작되거나 사용된 기록이 남아 있지만 대륙부에 비해서 활발한 생산이 이루어진 것은 아니라고 여긴다. 현대에 이르러 미얀마, 태국, 라오스를 제외한 다른 동남아시아 국가들에서는 칠기 제작이 거의 이루어지고 있지 않다. 중국의 직접적인 정치

지배의 경험을 지닌 베트남을 제외하면, 동남아시아에서 칠기 제작의 발전은 주로 미얀마 상부지역과 라오스 및 태국 북부지역에서 이루어 졌다. 문헌 사료의 부족으로 각 지역에서 칠기가 전래된 정확한 시기를 알 수 없지만, 대체로 중국 광서, 귀주 북부 지역에서 거주하면서 중국 문명의 영향을 받았던 타이족이 남하하기 시작한 13세기경에 칠기가 이 지역에서도 본격적으로 제작되었을 가능성이 가장 높다. 오늘날과 같은 국경선이 확정되지 않은 시기에 있어서 칠기 전래와 발전 과정은 국가별로 설명하기가 쉽지 않기 때문에 칠기 제작기법을 중심으로 살펴보는 것이 타당할 것이다.

동남아시아 지역에서 채택하였던 칠기 기법은 크게 4가지로 나눌 수 있다. 검은 바탕에 금박을 한 칠기, 새김 기법을 이용하여 여러 가지 색을 띠게 한 칠기, 부조로 무늬를 내고 나머지 부분을 칠로 채운 칠기, 나전칠기 등이 그것이다. 태국 지역에서는 주로 검은 바탕의 금박 칠기가 제작되었고 기술 수준도 가장 높으며, 고유의 제작 기술을 지니고 있어 타 지역과는 상당히 차이가 난다. 이러한 태국의 금박 기법을 '라이 롯 남(lai rod nam, 물로 세척하는 장식 기법)'이라고 하는데, 이 기법이 사용된 칠기는 태국에서 제작되었거나 태국의 장인이 전파한 기법으로 타 지역에서 제작되었다고 여길 수 있다. 태국에서는 진주조개 껍질을 이용한 나전칠기도 제작되었는데, 18~19세기에 걸쳐 주로 태국에서 성행되었던 칠기이다.

미얀마에서는 주로 새김 기법을 이용한 칠기가 주종을 이루고 있다. 새김 칠기를 미얀마에서는 '융데(yunde)'라고 하는데, 미얀마의 전통적 칠기 제작기법에 속하는 것으로 생칠의 검은색 외에도 주홍색, 녹색,

노란색 등의 다양한 색상의 안료를 사용하였다. 이러한 새김 기법을 이용한 칠기는 중국과 타 지역에서 찾아볼 수 없는 고유 기법을 이용한 것이었다. 칠기의 소지(素地)재료로 대나무와 말총을 사용하는 것도 미얀마 칠기의 특징으로 볼 수 있다.

칠기의 소지재료로 나무를 사용하여 부조형으로 문양을 파서 제작하는 칠기는 중국에서 직접 전래된 것이다. 동남아시아에서는 나무에 새겨서 문양을 내지 않고 칠기 소지재료에 재 또는 흙을 붙여 문양을 만드는 식으로 제작하였다. 주로 종교적인 의례에 사용되는 칠기에 주로 사용된 기법이었다.

지금까지 살펴본 것처럼 중국의 칠기 기술이 동남아시아에 전래되었지만, 결코 기술 모방에 그친 것이 아닌 동남아시아 각 지역의 독자적인 칠기 기법이 개발되어 타 지역과 분명히 차이가 나는 독특한 형태로 발전되어 왔음을 알 수 있다. 이런 점에서 사회 전반에 걸쳐 널리 사용되었던 칠기가 지니는 독창성은 각 지역의 사회문화적 특징이 반영된 것으로 보아야 한다.

칠(漆)이 미얀마에서 최초로 사용된 시기는 분명히 알려져 있지 않다는 사실은 앞에서 언급한 바 있지만, 여기에는 후속적인 칠기 유물의 발굴이 이루어지지 못한 이유도 크다. 미얀마의 고고학적 발굴조사는 1960년대 이후로는 거의 실행되지 못하여 칠기의 초기 역사를 밝혀줄 고고학적 유물이 부족하기 때문에 이와 관련된 연구가 매우 부진한 실정이다. 칠은 그 생산지가 산지라는 점에서 문명사회에서 본격적으로 사용되기 전에 이미 고산 지대의 주민들이 사용했을 가능성이 높다. 문명화 되지 않은 고산지대의 주민들은 현지에 생식하는 나무에서 손쉽게 칠을 추출하여 생활 용기 등을 방수 처리하기 위한 코팅제로 사용해 왔던 것으로 추측할 수 있다.

중국 사료인 구당서(舊唐書)의 기록에 의하면, 미얀마 중앙평원지역에 건설되었던 뾰족 왕국의 궁전이나 불교사원의 도장(塗裝)용 치장재로 진사(辰砂, cinnabar)와 락연지벌레(Laccifer Lacca, 紫鑛)의 암컷이 나뭇가지에 기생하여 배출하는 액체 상태의 분비물인 키노(kino) 수지를 이용하였다고 한다. 오늘날 사용되고 있는 것과 같은 종류의 칠을 사용했다는 언급을 찾을 수 없지만, 아무튼 뾰족은 건축 마감재로서 목재에 광택이나 코팅을 하기 위해 나무의 수액이나 수지를 사용했다는 사실을 알 수 있다.

버마족의 첫 왕조인 버강 왕조(1044~1287년)시대에서도 미얀마에서의 칠기 제작에 대한 증거는 불확실하다. 12세기 버강의 비문에는 불교 승려들이 사용하는 바리때(미얀마어로 더베잇)에 관한 언급이 나오는데, 바리때가 칠기로 제작된다는 사실을 확대 해석하여 그 당시에 이미 칠기를 제작했을 것이라고 추정하기도 하지만, 이후의 연구에서 당시의 바리때는 놋쇠, 철, 토기로 만들어졌음이 밝혀져 버강 시대에 칠기 제작 가능성은 거의 없다.

1918년 영국 식민지 지배하의 미얀마 최대 도시 양공에서 예술전람회가 개최되었는데, 여기에는 미얀마 칠기공예 역사에 있어서 중요한 획을 긋는 칠기 한 점이 전시되었다. 그것은 티크 나무를 소재로 한 원통형 황토색 칠기로서, 미얀마의 고도 버강에 소재하는 파고다인 밍글라제디(Mingla Zedi)에서 출토되었다고 한다. 영국 고고학자 모리스는 전람회의 강연에서 이 칠기를 1274년에 제작된 것이라고 설명했다. 그는 버강의 고고학자인 우 띤(U Tin)의 주장을 빌어, 칠기 공예는 태국 북부 지역의 윰(Yun) 이라는 왕국에서 떠톤(Thaton)으로 유입되었고, 이후 1058년 경에 버강에 도래하였다고 하였다. 떠톤에서 버강으로 칠기 공예가 유입했다는 주장은 아마도 버강 왕조의 어노여타(Anawrahta)왕(재위 기간 1044~1077년)이 몬(Mon)을 정복하고, 공예 장인을 포함하는 몬족 일부를 강제로 버강으로 이주시킨 사실에 기초한 것으로 보인다. '대왕 조사'와 '유리궁전왕조사'는, 어노여타왕이 떠톤 정복 후 그곳의 공예가들을 버강으로 이주시킨 내용이 분야별로 구체적으로 기록되어 있다. 그러나 미얀마 역사학자 딴뚠(Than Tun)이 버강 시대의 직업명을 조사 정리한 결과, 그 목록에 칠기 공예는 등장하지 않는다. 이처럼 미얀마의 왕조 연대기들에 칠기 공예가에 대한 언급이 없고 그 기록 자체가 1829년에 저술되었다는 사실을 감안하면, 다른 사료적 뒷받침 없이 버강으로 칠기 공예가 도래되었다는 주장에는 무리가 따른다. 게다가 당시에 전시되었던 버강 출토의 칠기는 사진도 없는 상태에서 분실되어, 1274년 제작이라는 주장을 그대로 받아들일 수 없게 되어 버렸다.

버강의 레몌떠나(Laymyethana) 사원에서 칠기 유물이 출토되어 미얀마의 칠기 제작 시기에 대한 또 다른 추측을 불러일으켰다. 출토된 유물의 조각들은 컵의 밑바닥과 옆면 부분의 파편들로 짐작되는 것으로서, 색상은 갈색을 띠고 있고 대나무를 사용하여 기본 골격을 만든 다음 그 표면에 칠을 바른 것인데, 그것은 전통적 칠기 제작기법과 크게 다를 바가 없다. 방사성 탄소 연대측정법에 의해 이것은 버강 시대의 것으로 밝혀졌다. 이것으로 모리스가 주장했던 버강 시대의 칠기 등장에 관한 역사적 사실을 어느 정도 뒷받침해 줄 수 있게 되었지만, 이러

한 유물의 출토가 결코 버강 시대에 칠기가 실제로 제작되었다는 사실로 받아들여서는 안 된다. 앞에서 언급한 것처럼, 버강 시대에는 칠기 제작과 관련된 용어가 전혀 나타나지 않았고, 대나무를 칠기의 소재로 삼았다는 사실은 상당한 제작기술을 요구한다는 점, 그리고 버강 왕조 시대의 여러 기록에서 엿볼 수 있는 것처럼, 당시 미얀마가 주변 지역과 활발한 교역 관계에 있던 시기란 점을 고려할 때, 위의 유물들은 버강왕국의 자체 제작보다는 타 지역에서 유입되었을 가능성이 더 높다.

미얀마에서 직접적인 칠기 제작이 이루어지지 않았던 것은 이후에도 계속되어, 15세기까지도 그 사정은 마찬가지였던 것 같다. 미얀마 남부지역 버고(Bago)에서 강력한 힘을 행사했던 몬족 한따와디(Hanthawaddy) 왕조의 담마제디왕(재위기간 1472~1492년)은 종교적인 열정이 강했다고 한다. 상좌불교의 부흥을 꾀한 그는 스리랑카에 승려들을 파견하여 그곳에서 계율을 받게 하였다. 이렇게 도입한 스리랑카의 계율을 버고를 비롯한 주변 지역의 승려들에게 베풀게 하였다. 이 사실은 깔야니(Kalyani) 비문으로 불리는 10개의 비문에 새겨져 있다. 이 비문의 내용 중에는, 담마제디왕이 스리랑카의 승려들에게 베풀었던 귀한 선물 중에 태국 북부 란나(Lan Na)왕국의 하리분자야 (Haribhunjaya)에서 생산된 칠기인 여러 색을 띤 빈랑(Betel nut) 상자 20개가 포함되어 있었다는 기록이 있다. 담마제디왕의 통치 시대에는 한따와디 왕조가 버마족의 버강왕국과 화평한 관계를 유지했고 양측간 의 교역도 매우 성행했다. 담마제디왕이 상기의 칠기를 버강이 아니라 험난한 경로를 통해야 하는 하리분자야에서 굳이 구했다는 사실은 15세 기까지는 버강에서 칠기가 생산되지 못했거나 생산 되었더라도 그 제작 기술이 충분히 발전하지 못하여 품격 있는 칠기 생산이 이루어지지 못 했다는 점을 시사해준다.

미얀마가 14세기에 이르러 칠기공예의 기술을 가지게 되었다고 하지 만, 그것을 입증할 만한 사료는 전혀 없는 것이 사실이며, 적어도 16세 기 초까지도 미얀마 칠기가 생산되었다는 사실을 증명할 근거는 없는 것 같다. 1518년 미얀마의 잉와, 버고, 목뜨마(Martaban)를 차례로 방문했 던 한 포르투갈 상인의 서신에서 인도 상인들과 페르시아 상인들이 애타 게 구하려고 했던 '목뜨마 칠기'를 당시 미얀마에서 구입할 수 있다는 사 실을 알려주고 있지만, 그 칠기가 현지에서 제작, 생산되고 있다는 사실 에 대한 기록은 전혀 없다. 16세기 이전에 미얀마에서 직접 칠기가 생산 되었다는 근거가 전혀 없다는 사실에서 보면, 상인들의 구매 욕구를 충 족시킬 만한 고급 수준의 칠기가 어떤 시기에 갑자기 제작될 수 있는 것 은 아니기 때문이다. 아마도 타 지역에서 생산된 칠기가 당시의 교역지 로 유입되어 그곳에서 주로 거래가 이루어졌을 가능성이 높다.

미얀마는 3천년 이상 칠을 사용해 온 중국과 이웃해 오랜 기간 교 역 및 전쟁 등 밀접하게 접촉한 역사가 있음에도 불구하고 중국에서 직접 그 제작기술을 습득한 것처럼 보이지 않는다. 오히려 오늘날 태국이나 라오스 등 동남아의 주변 지역에서 받아들인 것 같다. 이러한 사실은 우선 15세기 아니 16세기 초까지 사용되지 않았던 칠기를 의미하는 미얀마어인 '융(yun)'이라는 용어의 어원을 추적함으로써 규명할 수 있다. 버마족의 따웅우(Toungoo) 왕조(1486~1752년)의 3대 왕으로 등극하여 거대한 정복사업을 꿈꾸었던 바인나웅(Bayinnaung, 재위기간 1551~1581년)이 먼저 1557년 샨(Shan)의 거주 지역을 통합하고, 계속해서 치앙마이에 왕도를 둔 란나 왕국과 오늘날의 라오스 지역인 란상(Lan Sang)의 일부 지역을 차례로 정복하였다. 미얀마의 샨족은 따이욘(Tai Yon)으로 불리는 란나 사람들을 융이라고 하며, 버마족은 란나와 란상의 사람들을 모두 융으로 부른다. 미얀마의 칠기 생산은 바인나웅의 태국 북부 지역의 정복으로 인해 그곳의 공예가들이 대거 미얀마로 이주된 이후부터 시작된 것으로 본다. 버강 왕조시대에 칠기를 생산했다면 칠기를 뜻하는 용어가 존재했을 터이지만, 16세기 초까지 그런 용어가 없었다는 점과 오늘날 미얀마에서 칠기를 의미하는 말이 융이라고 하는 점이 그러한 추론의 근거를 이룬다. 바인나웅은 정복지의 사람들을 대거 미얀마로 이주하도록 만들었는데, 여기에는 다양한 계층의 사람들이 포함되어 있었지만, 특히 그는 공예가들 중에서 유명한 칠기 공예가들을 미얀마로 데려갔다. 그는 많은 칠기 공예가를 데려갔음에도 불구하고, 전승의 전리품으로 칠기를 요구하였다. 근대 초기 미얀마 역사학자 하비(Harvey)도 융이라 불리는 양질의 칠기를 미얀마에 도입한 것은 바로 이들이라고 주장한다.

미얀마에서 칠기 생산이 시작되면서, 또 한 차례의 칠기 제작의 획기적인 전기를 마련하게 된다. 그것은 바로 다시 혼란에 빠진 미얀마의 정국을 수습한 어라웅퍼야(Alaungpaya)에 의해 성립된 버마족의 꽁바웅(Konbaung) 왕조(1752~1885년)의 3대 왕인 신뷰신(Hsinbyuhsin, 재위기간 1763~1776년)의 태국 아유타야(Ayutthaya)의 정복으로 이루어진다. 그는 거세게 저항했던 아유타야를 철저하게 파괴하고, 많은 공예, 예술가들을 포로로 붙잡아 미얀마로 데리고 온다. 그 결과는 미얀마의 문학과 예술의 르네상스를 이루게 하였다. 두말 할 나위 없이 미얀마의 칠기에 있어서는 질적인 측면에서 큰 발전을 이루게 되는 것이다. 결과적으로 칠기 표면을 새김 처리하는 기법은 바로 오늘날 태국 지역에서 유입해온 칠기공예가를 통해 시작되었고, 이러한 기법은 미얀마의 전통으로 자리 잡아 오늘날 융이라고 불리는 미얀마의 전통 칠기 기법으로 내려오고 있다. 앞서 언급했듯이 미얀마의 칠기 사용은 이미 13세기부터 이루어진 것으로 추측하고 있으나 당시의 칠기는 무늬가 없는 밋밋한 표면에 단색 칠기였고, 오늘날 융이라고 불리는 새김 칠기는 16세기 중반을 기점으로 시작되었다. 태국과의 끊임없는 전쟁과 그로 인한 공예예술가들의 유입은 칠기에 금박을 입히는 것과 같은 새로운 기법의 칠기도 도입되는 계기가 되었다. 이로 인하여 미얀마의 칠기 공예는 양적으로나 질적으로 비약적인 발전을 도모하게 된다.

18세기 후반부터 미얀마의 칠기 공예예술은 최고의 정점에 달하게 된다. 칠기 생산지도 버강에 국한되지 않고 다른 지역으로 확산되는 것도 이 시기부터이다. 꽁바웅 왕조에 있어서 왕성한 칠기 공예의 생산에 관한 서양인들의 관심을 끌게 한 시기도 바로 이 때였던 것이다. 그

2 짜욱까(Kyaukka)라 불리는 초기 칠기의 모습

들의 각종 여행기나 보고서에는 어김 없이 칠기 생산지에 관하여 언급하였는데, 최대의 칠기 생산지인 버강과 잉와, 삐예(Pyay, Prome) 그리고 지금의 만달레이에서 에야워디강 건너편에 몬유와(Monywa) 지역의 짜웃까(Kyaukka) 및 샨주에도 여러 곳이 생겼지만, 특히 짜잇똔(Kyaiktoun, Kentung) 등이 열거되었다. 이들 지역은 이제 생업 그 자체가 칠기 공예가 되어 거의 온 마을이 칠기 생산에 집중하고 있다.

미얀마에 칠기 생산이 본격적으로 시작되고 17세기에 이르면, 칠기 공예의 장인들은 사회 계층별로 나뉘어져 칠기를 생산하였다. 이 당시 미얀마의 왕국에서는 사치금지법이 만들어져 사회 계층에 따라 의복의 디자인이나 주거지의 종류 및 가정의 생활도구를 규정하였다. 이러한 규제는 칠기 생산에도 영향을 미쳐, 특히 금을 다량 사용하는 금박 칠기의 제작은 엄격하게 귀족이나 왕실만 가능하도록 하였다. 예술적 가치가 높은 칠기는 왕실에서만 제작이 가능하게 되어 이렇게 가치가 높은 고급 칠기는 왕이 하사하는 선물로 단연 으뜸이었다. 꽁바웅 왕조에서는 외국사절에게 왕실에서 칠기를 선물로 주는 것이 보편적인 일이었다. 그 외에도 보석함, 편지 보관함, 문서 보관함, 그리고 특별히 불경 보관함도 모두 칠기로 만들어졌고, 중요한 불교 의식에도 승려에게 음식을 공양할 때에도 종교 의례적으로 특별히 사용되는 칠기가 생겨났다. 특히 '사다익(Sadaik)'이라고 부르는 불경 보관함은 대체로 뚜껑이 달린 사각형의 궤로서 승원에서 매일 사용되는 신성한 불경의 필사본을 보관하는 데 사용되는데 이는 반드시 칠기 제작기법으로 만들어진다. 이것의 표면은 전통적 칠기 제작방식인 금박(쉐저와)과 부조(떠요)를 이용하여 장식한다. 표면 장식이 고풍스럽고 화려한 특징을 지니고 있어 태국 방콕 시내에 있는 골동품의 인기 있는 물품 중의 하나이기도 하다. 일반인들의 일상생활 속에도 자연스럽게 칠기가 생활도구가 되었다. 칠기의 종류나 질적 차이가 자연스럽게 사회 계층을 구분하는 문화적 상징이 되었던 것이다.

3 꽁바웅 왕조시대에 칠기로 제작된 불경 보관함 사다익(Sadail)

미얀마 칠기의 종류와 문화적 의미

오늘날 '융'이라는 용어는 미얀마 전통 칠기를 포괄적으로 나타내는 일반적인 용어로 사용되고 있지만, 협의로서는 칠기 표면의 장식에 사용하는 새김기법을 지칭한다. 중국에서 전칠(塡漆)이라고 하는 이 기법은 원래 중국에서는 전국(戰國) 시대와 한대(漢代)에 성행하였다가 이후 쇠퇴한 것으로 이 기법이 직접 중국에서 전래된 것은 아니다. 칠기 표면에 그려 넣을 문양을 그리고 난 뒤, 세공침을 사용하여 그 문양의 선을 따라 새긴 다음, 원하는 색을 새긴 선에 넣는 식으로 제작하는 미얀마 전통 칠기의 가장 기본적이고 보편적인 기법이 바로 융이다. 미얀마 어인 '융데(yunde)'란 바로 '융'에 기물(器物)을 뜻하는 '데'가 붙어 '융칠기'를 뜻한다. 따라서 생활도구에 주로 사용되는 미얀마의 칠기는 융 기법을 사용한 융데라고 여기면 된다. 대나무 또는 말총을 소지재료로 하여 틀을 만든 다음, 생칠을 그 표면에 발라 제작되는 융데는 동남아시

④ 세공침을 이용해 칠기 면에 문양을 새겨 넣는 모습

⑤ 대나무 절편을 돌려서 소지를 제작하는 모습

⑥ 침금 기법으로 무늬를 새겨 넣은 전통식 쟁반

아에서 미얀마가 이제 그 제작기술이 가장 뛰어나. 게다가 융데의 주재료인 생칠과 대나무는 미얀마에서 쉽게 구할 수 있다는 점도 미얀마 칠기 생산이 지속될 수 있는 이유가 된다.

일반적인 융 기법 외에도 바인나웅 왕의 아유타야 정벌로 태국에서 유입되었다고 여겨지는 침금(금박)기법인 '쉐저와(shwezawa)'가 있다. 타이어로는 라이롯남(lai rod nam)이라고도 부르는 이 쉐저와는 칠면 식각

(蝕刻)에 금을 새겨 넣는 기법인데 이는 중국 원대(元代)와 일본에서도 이러한 기법이 정교하게 발달했다 쉐저와 기법은 바닥칠을 한 칠면에 문양을 그리고 세공침으로 음각을 새긴 후 가장자리를 따라 황색 안료를 만든다. 그런 다음 음각된 문양에 생칠(生漆)을 바르고, 칠이 마르기 전에 금박이나 금분을 칠면 전체에 부착시켜 24시간동안 말리는 기법이다. 건조된 칠기는 물에 담가 문양 밖으로 삐져나온 금박을 깨끗이 씻어내어 칠의

7 금박을 칠면에 붙이는 모습

8 검정색 바탕면과 대조적인 화려한 금빛의 문양

검정색 바탕면과 대조적으로 번쩍이는 금빛을 생생하게 표현해낸다.

17세기 이후 동남아시아에 있어서 칠기 예술의 주도적 역할을 했다고 여겨지는 타이인들은 이러한 제작 기법을 승원의 출입구, 창문, 틀, 경전 보관함 등을 장식하는 데 사용해 왔다. 전통시대에서는 금이 사용되는 관계로 왕실에서 엄격히 통제하여 사용했다. 오늘날에는 완성된 쉐저와 칠기의 대부분은 외국인 관광객을 대상으로 하는 판매에만 한정되어 있다. 이는 금박의 공급이 부족하고 가격도 높아 특별히 주문생산에만 응할 수밖에 없기 때문이다.

순옥(hsunouk) 같은 종교의례용 칠기 제작에 주로 사용되는 부조 형태의 떠요(thayo)와 색채 유리조각을 붙여 넣는 흐만지쉐차(hmanzishehca)의 기법이 있다. 떠요라 불리는 부조 기법은 7세기경 중국에서 처음 시작되었으나 그다지 관심을 끌지 못하다가, 명대(明代)에 들어서 전칠 칠기의 등장과 함께 사라지고 말았으며, 어떤 시점에서 대륙부 동남아시아에 전해져 유리상감기법의 바탕으로 널리 사용되기

9 부조 기법으로 제작한 칠기의 표면. 꽁바웅왕조시대에 제작.

[10] 유리 상감기법으로 제작된 칠기의 표면. 잉와(Innwa) 왕조시대에 제작.

시작하였다. 쉐저와와 마찬가지로 흐망지쉐차도 금을 다량 사용하기 때문에 왕조시대의 사치금지법의 규제를 받는 품목으로 왕실이나 승려와 관련된 기물이나 사원과 궁전의 건축물의 실내장식에만 제한적으로 사용되었다.

근대에 이르러서는 새로운 기법을 도입해 근대적 변화에 맞게끔 변용된 칠기들이 제작되었다. 특히 천연안료의 가격상승으로 인하여 법랑이

[11]
칠기 표면에 은분을
칠하는 모습

표면처리에 사용되거나, 일본에서 들여온 기법으로 은분이나 은색 페인트를 칠과 섞어 대리석 문양을 표현하는 '저빤융(Japan yun)'이 인기를 끌고 있다. 저빤윤의 소지는 일반적인 융의 제작기법으로 만들고, 일단 문양을 새기기 전에 바닥칠을 해둔 표면에 은분을 칠한다. 그런 후에 문양을 새기고 건조시킨 후, 표면을 숯이나 사포로 가볍게 문지르면 갈색과 은색이 뒤섞이면서 대리석 문양이 형성된다. 저빤융은 제작과정에서 독특하게 만들어지는 대리석 문양으로 인하여 전통 칠기와는 사뭇 다른 느낌을 주기 때문에 외국인의 주요 구매 대상이 되고 있는 소득 높은 칠기이기도 하다.

과거 미얀마인의 생활도구의 대부분은 '융칠기'로 제작되었다. 그 중에서 가장 주목할 만한 생활도구는 미얀마어로 '꿍잇(kunit)'이라 하는 '꿍(빈랑 열매)'을 담는 상자이다. 꿍이란 원래 빈랑 열매를 뜻하지만, 후춧과에 속하는 구장(蒟醬)나무(Betel pepper plant)의 잎에 빈랑 열매 조각과 석회를 넣어 싼 것을 말한다. 꿍을 입에 넣어 씹으면 입안에서 상쾌한 기분과 청량감을 주기 때문에 열대지방에서는 널리 퍼진 기호식품이다. 게다가 구취나 구강 박테리아 감염의 예방에도 도움이 된다고 한다. 전통적으로 젊은 여성들은 꿍에 포함된 붉은색소가 입술에 침착하는 것을 이용하는 등 미용의 목적으로도 사용하였다. 그러나 과다한 섭취는 치아의 흑화(黑化)나 부식을 초래한다.

13 일반적인 꿍(빈랑열매)상자: 꿍의 재료를 담을 수 있도록 여러 층의 작은 그릇이 내부에 들어가는 구조를 지님

미얀마인의 꿍을 씹는 관습을 이해한다는 사실은 미얀마 칠기제작의 함의와 미얀마 문화 및 사회상을 조명하는데 있어서 매우 중요한 의미를 지닌다. 꿍은 사회적 교류에 있어서뿐만 아니라 특정한 기념일이나 행사 등 사회 전반에 걸쳐 미얀마인들의 기호품이었고, 식민지 시대 전에는 꿍은 손님을 접대하는 데 있어서 필수적으로 제공되었다. 외국에서 온 외교사절단의 접대용으로도 꿍이 제공되었고, 남녀의 구애 용품,

법정 소송인의 패소의 상징, 사형수의 사형집행 직전 제공되는 먹거리로도 꿍의 등장은 필수적이었다.

오늘날에는 담배의 등장으로 인해 꿍의 가치가 기존과는 많이 변화하게 되었지만, 여전히 많은 미얀마인이 꿍을 씹는 것을 생활화 하고 있으며 이는 끊임없이 이어져 내려오는 전통으로 자리 잡고 있다. 꿍이 특별한 기념일에는 필수적으로 제공된 중요한 문화의 상징이었던 만큼 현대에 이르기까지도 미얀마의 각 가정에는 꿍을 담아두는 상자가 적어도 한 개 이상은 구비되어 있으며 그것은 바로 칠기로 만들어진 것이라고 할 때, 칠기 공예가 지니는 사회적, 문화적 가치의 정도를 가늠할 수 있을 것이다.

왕실과 불교부문의 강력한 후원에 힘입어 미얀마의 칠기공예는 비약적인 발전을 거듭하는데 특히 따웅우 왕조에서 꽁바웅 왕조에 이르기까지 칠기 종류와 질은 원래 칠기를 전해주었던 지역과는 비교될 수 없을 정도로 향상되었다. 금박 기법의 도입으로 이제 칠기는 꿍잇과 같은 단순한 생활 도구를 뛰어넘어 사회 계층별로 분화된 제작이 이루어지기 시작하였다. 특히 금박 기법은 사치금지법의 제정에 따라 왕실이나 종교적 목적에만 제한적으로 사용되었는데, 주로 왕실 또는 사원에 자따까(Jataka, 本生譚)나 부처의 생애를 나타낸 문양을 장식할 때만 쓰였다. 꽁바웅 왕조의 보도퍼야(Bodawpaya) 왕은 1788년 2월 19일 침금을 제대로 장식해내지 못한 장인을 대나무로 태형에 처하고 관련된 관리를 구금하는 등 금박 장식에 대해 엄격히 다루었을 정도로 칠기 제작을 중시하였다.

미얀마는 전 국민의 80% 이상이 상좌불교를 신봉하는 불교국가이다.

14 전형적인 형태의 순옥

15 부조 및 유리상감기법이 적용된 꽃병. 빤오.

버강 왕조시대부터 불교는 미얀마의 문명사회를 구축하고 왕국을 유지하는 데 결정적인 종교였다. 그래서 불교와 관련된 각종 의례는 일상생활과 매우 밀접한 관련을 맺어 왔는데, 이러한 의례에 사용되는 거의 모든 기물은 칠기로 만들어져 있다. 특히, 일반 불교도가 승려나 파고다에 공양하는 의식은 자신들의 공덕을 쌓아 내세에 있어 보다 나은 삶을 확신시켜주는 매우 중요한 종교적 행위였는데, 공양의식에 있어서 빠질 수 없는 대표적인 기물이 바로 순옥(hsunouk)이다. 깊은 종교적 의미를 지닌 만큼 그 제작에 있어서도 장인들의 예술성이 가장 돋보이는 칠기 제품이기도 하다. 어와나 또는 얏(awana, yat)이라고 하는 승려들의 부채, 불상의 제단에 놓는 빤오(pan-o)라 하는 꽃병, 공양 음식을 제단에 올릴 때 사용하는 꺼랏(kalat) 또는 다웅랑(daunglan), 불경을 보관하는 상자인 사다익 등 거의 모든 불교와 관련된 기물에도 전통적 칠기가 사용되었다.

이러한 고급 칠기는 18세기와 19세기에 미얀마와 중국 간의 활발한 교류에서도 등장한다. 당시 미얀마와 중국은 매 10년마다 양국의 특산품을 교환하는 제도가 있었는데, 민동(Mindon, 1853~1878)왕 재위기간 선물 교환의 기록에 따르면 미얀마가 중

16 19세기에 만달레이 밍거바(Myinngaba)에서 제작된 꺼럇

국으로 보낸 선물의 물품 가운데는 금과 은, 비취, 코끼리, 그리고 금박 칠기가 포함되어 있었다고 전해진다. 영국 식민지 시대에 들어서서도 이러한 선물 교환 제도가 지속되었는지에 관한 여부는 남아있는 기록이 없어 알 수 없지만, 1901년 미얀마를 방문한 영국 총독에게 왕이 접대용으로 칠기를 제공한 기록이 남아있어 여전히 칠기가 외교관계를 유지하는 상징적인 아이템으로 지속되고 있었음을 알 수 있다.

이렇듯 과거 칠기는 사회적 교류에 있어서뿐만 아니라 외교사절단의 접대용, 왕실의 위엄을 높이는 상징이나 양국 간의 우호를 다지는 데에 있어서도 중요한 품목으로 어김없이 등장하였으나, 현대에 이르러 칠기의 위치는 변화를 맞이하게 되었다. 오랜 기간 지속된 군부의 지배는 미얀마의 경제, 사회 구조를 전반적으로 침체시켜 거의 모든 분야가 정체하는 총체적 쇠퇴의 위기를 낳았고 이로써 전통공예에 대한 정부차원

의 지원은 찾아보기 힘들고, 공예분야의 열악한 자본구조는 새로운 투자나 개발을 어렵게 만들었다. 게다가 강압적이고 일방적인 군부의 정책 집행으로 인하여 전통 수공예 분야는 이중의 고통을 겪고 있다.

미얀마 전역을 통해서 공통적으로 나타나는 원자재의 부족과 가격상승은 칠기 공예에 큰 부담을 더해주었다. 샨주에서 발생하는 소수민족반군의 군사 활동으로 인하여 생칠의 확보가 점점 어렵게 되고그 결과로 가격은 상승하고 있다. 생산원가를 낮추기 위하여 칠기의 코팅 초기단계에 있어서 덧칠하는 횟수를 줄임으로써 칠기의 질을 크게 떨어뜨리고 있다는 점을 우려하는 사람들이 많다. 또한, 중국에서 수입되는 안료 또한 점점 구하기가 어려워지고 있는 실정이다. 공급이 부족한 금박의 가격도 상승하고 있다. 그 때문에 이전에 인기가 있었던 금박 칠기는 이제는 주문에 의해서만 생산되고 있는 실정이다. 게다가 정부의 재정적 지원도 감소하여 버강에 소재하는 국립칠기학교의 활동도 위축되고 있다.

그러나 칠기 장인들은 이러한 난국에도 불구하고 국내외 고객의 요구에 부응하고 과거 칠기 공예의 전통을 이어간다는 정신으로 그들의 능력을 최대한 발휘하며 칠기를 적극적으로 생산하고 있다. 즉 환경의 변화와 다양한 고객 수요에 맞추어 매력적이고도 값싼 칠기를 제조 과정의 혁신을 통하여 대량생산하고자 노력을 경주하고 있다. 혁신적인 공예의 장인정신을 지니고 칠기 제작에 새 바람을 불어넣고 있는 참신한 공방들이 생겨나고, 기존의 공방들도 이에 부응해 전통 칠기공예를 살리려고 하는 분위기가 새로운 전기를 맞고 있는 것이다.

60년대 이후부터 칠기 장인들은 과거의 버강, 잉와, 꽁바웅 왕조로부터 예술적 영감을 찾고자 하는 노력이 활발하다. 버강의 벽화가 미얀마 칠기에 있어서 새로운 작품을 만드는 데 좋은 주제를 제공한다. 이것은 바로 지난 과거의 역사 속에서 형성된 전통과 문화 속에서 발흥한 그들의 종교적 신념과 민족적 자부심의 표출이다. 바로 이러한 종교적 신념과 자부심은 장인들로 하여금 엄청난 어려움에도 불구하고 칠기의 유용성과 미를 작품 속에 담아내게 하는 원동력이 되고 있다.

단순한 일상생활에 사용되는 공예품이라 할지라도 오랜 과거로부터 오늘날에 이르기까지 지속적으로 사용되고 있다면 분명히 거기에는 모종의 문화적인 함의가 담겨 있다고 보아야 할 것이다. 생활의 이기(利器)인 미얀마의 칠기가 오늘날 편리한 플라스틱 제품들에 의해 대체되고 있지만, 그럼에도 여전히 널리 잔존하여 제작되고 있다는 사실은 그만큼 미얀마인들이 칠기의 전통에 높은 정신적 가치를 부여하고 있다는 것을 의미한다. 다시 말하면 칠기에서 시공을 초월하여 미얀마인들의 사회문화적 코드를 읽을 수 있는 것이다.

미얀마인들은 공예를 예술과 특별히 구분하지 않지만, '공예예술'이라 칭하는 대중적인 차원의 개념은 가지고 있었다. 불교가 엄청난 사회적 구속력을 지지고 국가를 지배하는 절대적인 권력에 예속될 수밖에 없었던 미얀마의 상황에서 보면, 어느 정도의 사회적 통념상 개인 부문보다 사회 부문에서 광범위한 요구가 있는 것에 미적 가치가 있다고 보는 것이다. 그러나 미얀마의 칠기공예는 거시적 차원의 범주에만 존재하는 것이 아니라, 사적이고 소규모적인 문화생활에서도 중요한 의의를 지니고 있다. 앞에서 살펴본 꿍잇은 작지만, 누구나 느끼는 소중한 문화적 아이콘인 것이다. 미얀마의 칠기 공예는 미얀마의 역사를 들여다보고, 사회상을 살펴보는 데 중요한 수단이 될 것이라고 생각한다.

이 글에서는 미얀마의 칠기 공예의 도래의 역사과정을 살펴보고 칠기 공예가 지니는 사회문화적 의미를 찾아보았다. 미얀마 칠기 공예의 역사에서 16세기 중엽은 매우 의미 있는 시기이다. '융'이라는 전칠 기법의 칠기를 생산하기 시작한 시점이기 때문이다. 이 문제는 미얀마 칠기 역사에서 가장 쟁점이 많은 부분이지만, 그것을 뒷받침할 만한 사료나 자료의 부족은 미얀마에서 거의 50년 동안 실시하지 못하고 있는 고고학적 발굴조사의 재개에 희망을 걸 수밖에 없다. 또한, 미얀마와 오랜 역사적 접촉을 가진 태국 지역에 대한 보다 심층 있는 연구가 필요할 것이다. 미얀마 칠기 도래의 역사가 모호한 것은 분명하다. 하지만, 주변 지역과의 접촉을 통하여 미얀마에 칠기 공예가 도래되었으며, 미얀마인들이 그런 공예기술을 스스로 발전시켜 나갔다고 말해도 무리가 없을 것이다. 그들은 전통적 기술과 기법에만 의존하는 것이 아니라, 자발적인 혁신을 통하여 생존 방법을 터득해왔던 것이다.

16세기 중엽에서 17세기 말경을 거쳐 19세기로 칠기 공예가 발전해 나갔던 시기와는 다르게, 전통적 칠기 공예는 서구의 문화가 유입되면서 여러 문제들로 인하여 많은 변화를 겪게 되었다. 특히, 경제구조의 변화는 칠기공예의 생명을 위협하는 요소 중의 하나였다. 그러나 오늘날 미얀마의 여러 가지 정치, 경제적 난국에도 불구하고 칠기의 생산은 여전히 쇠퇴나 퇴보의 모습은 보이지 않는다. 오히려 현대의 칠기 장인들은 제작과 장식 기법에 있어 이전의 전통적인 방식을 그대로 고수하면서, 그와 동시에 습득 가능한 새로운 재료의 사용이나 시장의 다양한 기호에 따라 유동적으로 변용시키는 데 성공하고 있는 것 같다.

미얀마 칠기공예를 고찰하면서 드러나는 가장 중요한 사실 중의 하나는 칠기가 지니는 사회문화적 가치이다. 미얀마가 1885년 영국의 식민지 지배하에 들어가면서 정치적 경계가 확정되고 그 국경 속에 거주하는 종족들이 식민지 정책에 의해 서로 분리되고 경쟁하는 관계에 놓이게 되었다. 1948년 독립 이후 이러한 종족간의 갈등구조는 사라지지 않아 새로운 국민국가의 통합력은 여실히 와해되었고, 그것은 오늘날에도 미얀마의 정치, 경제적 발전을 묶어놓는 걸림돌이 되었다. 얼핏 보면 상호 유기적인 연결고리가 하나도 존재하지 않는 것 같은 미얀마에서 칠기가 지니는 문화적 함의는 대단한 의미를 지니고 있다.

종족집단의 문화적 특성이나 사회적 구조의 차이에 관계없이 미얀마인들은 관습적으로 꿍잇을 사용하고, 차를 마시기 위해 러펫옥을 열어

17 단색으로 칠을 한 바리떼를 안고 있는 버강의 승려들

찻잎을 내기도 하며, 내세를 위한 공덕을 쌓기 위하여 사원에 찾아갈 때에는 순옥에 음식을 담아 공양한다. 승려들에게 음식 공양을 위해 봉헌하는 바리떼인 더베익(Thhabeik)도 칠기로 만들어진 것이다. 이것은 다수종족인 버마족뿐만 아니라 샨족, 까렌족, 까친족 등 종족을 초월하여 통시적으로 미얀마에 정착한 사람들은 모두가 공유하는 문화적 코드인 것이며, 정치적 이념이나 언어, 관습의 차이를 떠나 미얀마인으로서 누구나 쉽게 이해하고 친숙해질 수 있는 사회적 매체이기도 하다. 역으로 그러한 칠기의 존재를 통하여 미얀마인들이 역사적으로 어떠한 문화를 공유해오고 있는지 추적할 수도 있을 것이다. 다면 하찮다고도 할 수 있을 칠기 한 점이 품고 있는 문화사회적 가치는 사실 외면 받고 있지만, 그 문화적 코드와 사회적 매체로서의 역할을 고려할 때, 미얀마의 칠기공예는 지속적인 관심을 기울일 가치가 충분히 있다고 본다.

이글은 「동남아시아연구」 제20권 제1호에 게재된 게재된 글을 수정 · 보완한 것이다.

태국

태국정치에서 바라본
색의 상징성

황규희

요하네스 이텐(Johannes Itten)은 인간의 의식과 상관없이 긍정적 또는 부정적 방식으로 인간에게 미치는 에너지는 색이라고 주장한다. 인간은 대부분 자연경험에 근거하여 색에 대한 의미를 부여한다. 이를테면, 빨간색은 공격적이고 호전적이며, 초록색은 희망적인 색이며, 파란색은 결속 및 신의와 보수적으로, 노란색은 개혁의 이미지이다. 또한 다비트 보스하르트는 〈소비의 미래〉에서 현대인의 상품구매시 가장 중시하는 것은 색이라고 주장한다. 이와 같은 논리에 의하면, 정당과 정치인은 유권자의 표를 얻어야 하는 정치와 공식적인 의식에서 색의 이미지를 형성시킬 수 있다.

태국은 현대정치에서 반 탁씬계, 왕실측 계파 또는 친 탁씬계, 민주주의 복귀 계파를 색의 상징성으로 시민세력 또는 정당의 상징성으로 표현한다. 탁씬 친나왓(Taksin Shinawatra) 총리를 권좌에서 물러나게 한

2006년 9월 군부쿠데타 이후 태국정치에서 시민세력의 색깔 논쟁은 정치를 이미지 시키기 시작하였다. 탁씬의 정치 복귀를 지지하는 집단은 붉은 셔츠를 입고 북부지역에서 수도 방콕까지 와서 국회 앞에서 시위를 하고, 이에 맞서 반 탁씬세력은 노란 셔츠를 입고 이들과 충돌하고 있다.

탁씬은 2001년 3월 최초로 과반수 의석을 차지한 타이락타이당(Thai Rak Thai Party)의 총재이다. 이 정당은 탁씬의 고향인 북부지역과 경제적 빈곤층이 다수인 북동부지역을 기반으로 농민 및 도시빈민층 우선 정책을 선거공약으로 내세워 압도적 지지로 집권당이 되었다. 탁씬의 포플리즘(대중영합주의)정치는 빈곤층과 농민으로부터 지지를 받아 탁씬은 2005년 총선에서 재집권에 성공하였다. 그러나 탁씬의 포플리즘 정책은 정치엘리트와 군부집단으로부터 거센 비난을 받았으며, 탁씬의 부정부패(친 코퍼레이션 주식매매시 세금 포탈, 아내 포짜만의 부정한 부동산 매입 등)가 도화선이 되어 반 탁씬세력이 규합하였다. 마침내 외유 중에 있던 탁씬은 2006년 9월 9일 쿠데타에 의해 물러나야만 했다.

이후 태국 정국은 빨간 셔츠를 입은 친 탁씬세력과 노란 셔츠의 반 탁씬세력과의 격렬한 시위로 일부 지역의 비상사태 선포, 던므앙 공항과 쑤완나품 국제공항의 점거, 그리고 아세안 + 3 정상회의 개최가 무산되었다. 이와 같은 시민세력간의 충돌로 인하여 사망자 및 부상자가 발생하고, 방콕 및 팟타야 지역의 비상사태로 인하여 태국의 정국은 안개정국에 빠지게 되었다.

정치적 변동과 혼란 가운데 2008년 12월에 탄생한 민주당 쁘라차티빳당(Democratic Party)의 아피씻 웻차치와(Abhisit Vejjajiva)정권은 노란 셔츠의 쑤완나품 공항점거 사태의 책임과 처벌, 빨간 셔츠의 팟타야

호텔 난입사건에 대한 책임 규명, 쏜티 림텅꾼(Sondhi Limthongkul)의 암살사건 진상 규명 등 많은 난제에 직면하고 있다. 이러는 사이 선량한 태국시민들은 빨간 셔츠와 노란 셔츠의 지루하고 극렬한 세력 타툼에 염증으로 중도세력을 상징하는 파란 셔츠를 입고 하루 빨리 국가의 정치적 안정을 기대하며 경기회복을 바라고 있다. 따라서 2006년 군부쿠데타 이후 태국사회에서 나타나고 있는 시민세력들의 색의 상징성을 고찰함으로써 태국정치의 현상을 이해하고자 한다.

노란색: 반 탁씬세력(국왕과 입헌군주제 수호)

태국에서 반 탁씬세력은 노란 셔츠를 입은 민주주의 국민연대(PAD, People's Alliance for Democracy)집단으로 2005년 탁씬의 재집권 성공 이후 탁씬총리의 절친한 동료였던 언론재벌 쏜티가 중심이 되었다. 이들은 현 푸미폰(Bhumibol Adulyadej) 국왕의 탄신일인 월요일의 노란색의 셔츠로 국왕과 입헌군주제 수호를 상징하여 태국사회에서의 민주정치의 대변세력으로 나타나고 있다. PAD의 주도세력은 쏜티 이외의 전국공기업노동조합 사무총장 쏨싹 꼬싸이쑥, 민주주의진흥위원회 위원장 피폽 통차이, 빈민회의 고문 쏨끼얏 퐁파이분, 태국전력공사 노조위원장 씨리차이 마이응암, 태국철도공사 노조 임원인 싸윗 깨우완, 여성과 헌법 대표 말리랏 깨우까 등이다. 이들은 주로 군부, 관료, 방콕을 중심으로 한 중산층 및 왕정주의자와 친민주화 세력들과 이해를 같이 한다.

PAD 지지 세력들은 탁씬 정권을 농촌 유권자들의 무지를 악용한 부패한 포퓰리즘 정권으로 규정한다. 이들은 탁씬의 부정부패와 마약과의 전쟁, 그리고 남부 무슬림 분리주의 운동을 무력으로 진압하여 발생된 인권유린 사태를 강력하게 비난하는 반면에 2006년 9월 군부쿠데타와 2007년 헌법 개정을 지지하였다. 개정된 헌법의 주요 내용은 임명상원 제도의 일부 부활(상원의원의 70% 임명제 도입), 정당정치와 의회의 권한 약화, 그리고 관료체제와 사법부의 권한 강화 등 민주주의를 후퇴시킨 것들이다.

개악된 헌법으로 치러진 2007년 12월 선거에서 탁씬의 타이락타이당의 후신이 팔랑쁘라차촌당(PPP, People's Power Party)이 압승하여 2008년 1월에 싸막 쑨터라윗(Samak Sundaravej)이 총리에 임명되자, PAD는 '탁씬의 괴뢰정부' 축출과 대의 민주주의의 회복을 외치며 거리로 뛰어나와 정부청사를 점거하였다. 9월초 PAD는 싸막 총리의 퇴진을 요구하였으며 총리가 사퇴했음에도 불구하고 그 후 이들은 쑤완나품 국제공항을 무력 점검하였다. 이후 탁씬의 매제 쏨차이 웅싸왓(Somchai Wongsawat)이 의회에서 총리로 선출되었으나, 이들은 쏨차이 총리가 전 총리 싸막과 다르지 않는 탁씬의 대리인에 불구하다며 퇴진을 요구하였다.

이는 태국 헌법재판소가 2007년 12월 총선 선거법 위반혐의로 집권 여당인 팔랑쁘라차촌당, 찻타이당(Thai Nation Party), 마치마 티파타야당(Neutral Democratic Party)에 대한 해산판결을 내렸기 때문이다. 뿐만 아니라 각 당 집행위원회 간부들에 대해서 앞으로 5년간 정치활동을 금지시킴으로써 쏨차이 총리의 정치활동이 금지되어 과도내각의 총리대행에 차와랏 찬위라꾼(Chavarat Charnveerakul)부총리가 임명되었다. 즉, 군부와 사법부의 지지를 받아 PAD의 요구대로 두 명의 총리가 권좌에서 물러나게 되자, 노란 셔츠의 시위대들은 공항점거를 끝냈다. 이후 야당 지도자인 민주당의 총재 아피씻이 총리가 되자, 약 200여명의 탁씬을 지지하는 빨간 셔츠 시위대가 국회를 봉쇄하여 태국사회에서는 노란 셔츠와 빨간 셔츠의 충돌이 시작되었다.

아피씻 총리는 2009년 3월 빨간 셔츠의 시위대로 인해 들어가지 못했던 정부공관으로 국무위원들과 함께 들어가서 특별긴급회의 결과를 다음과 같이 발표하였다. 첫째, 정부는 이번 빨간 셔츠의 시위사태와 지난해 노란 셔츠의 시위사태에 대해 공정한 법적 집행을 할 것이다. 둘째, 시위사태로 인한 경제적 손실에서 공공부문 손실인 공공채무와 정부수입 손해액 등의 정부재정문제를 해결하기 위해 940억 바트의 정부공채를 발행할 것이다. 또한 경제대책 회의를 열어 경제회복을 위한 정책을 추진한다. 셋째, 현재 방콕시와 일부 수도권지역에 내려진 긴급조치 비상사태를 유지하며 정국의 안정을 꾀한다. 한편 오는 4월 19일로 기간이 끝나는 남부국경지역에 대한 긴급조치 비상사태 선포기간은 또다시 3개월을 연장한다.

그러나 빨간 셔츠 시위대들은 아랑곳 하지 않고 4월 10일부터 12일까지 아세안 10개국과 한국, 중국, 일본 3개국, 그리고 호주, 뉴질랜드, 인도 정상회의가 팟타야에서 개최되는 장소에 난입하여 그 회의가 무산되었다. 이에 대해 아피씻 총리는 4월 12일 방콕에 비상사태를 선포하였고, 다음날 군의 강경진압으로 부상자가 발생하였다. 4월 16일에는 이번 빨간 셔츠의 시위대를 주도한 극렬주동자들에 대한 체포영장이 발부되었다(팟타야에서의 아세안 + 3개국 정상회의 무산시위 관련 14명, 아피씻 수상 차량에 대한 폭행죄 12명, 내무부 청사 침입 관련 10명 등이다).

1 노란색 셔츠를 입은 국왕의 지지세력. 매주 월요일은 국왕을 기념하는 날로 거리에는 노란색으로 가득 채워진다

　이처럼 반 탁씬 세력들은 현 국왕의 탄신 색 노란 셔츠를 입고 국왕을 존경한다는 것을 상징화하여 태국민을 자신들의 세력으로 확대시키고 있다. 왜냐하면 태국민에게 국왕은 바로 태국민의 정체성이기 때문이다. 어디를 가든지 노란 셔츠는 국왕을 존경하는 태국민을 대변하는 세력으로 드러나기 때문이다. 뿐만 아니라 노란 셔츠는 과거 부패한 탁씬정권과는 달리 개혁을 주도하는 진정한 민주세력으로 상징되고 있다. 현재 태국에서 개혁을 외치는 민주세력들은 태국의 구 엘리트들인 학자, 사업가, 퇴역 군인, 왕실 지지자들이다. 색채 연구가의 분석에 의하면 노란색은 깨어 있고, 새로운 것을 추구하며 불의를 참지 못하는 정의의 색이다. 이와 같이 태국에서 현 국왕의 탄신 색인 노란색을 민주세력 또는 구정치세력의 저항세력으로 이미지하고 있다.

빨간색: 친 탁씬세력(민주주의 수호)

2006년 9월 쿠데타 발생 후 이에 반대해서 생겨난 친 탁씬지지 세력은 독재저항 민주주의 연합전선(UDD, United Front of Democracy against Dictatorship)이다. 친 탁씬세력은 지역적으로 북부 및 동북부 지역 주민이며 계층적으로는 농민과 도시빈민층이다. 이들은 빨간 셔츠를 입고 탁씬의 정치적 복귀를 희망하고 '노란 셔츠' 부대 PAD와의 결사적 항쟁을 하고 있는 집단이다. 쿠데타로 물러난 탁씬 전 총리 타이락타이당은 집권 후 100만 바트 농촌 개발기금, 면 단위당 1개의 특산품 개발운동, 농민부채 유예, 30바트 기초의료복지 등의 포퓰리즘적 정책을 추진하여 이 지역 유권자들로부터 강력한 지지를 받았다.

UDD의 대표적인 인물은 1992년 5월 민주화운동 당시 학생 대표 짜뚜펀 프롬판, 1976년 쿠데타 후 '카오빠(민주화운동 투쟁으로 정글로 쫓겨난 집단)' 의 웽 또찌라깐, '끌룸콘완싸오 마이아오파뎃깐(반독재 토요일의 사람들)' 의 창설자이자 대변인 위푸탈랭 팟타나푸미타이 등이 있다. 이외에도 북부와 동북부의 농민단체, 방콕의 노동자·택시기사 단체 등도 주요세력으로 참여하고 있다. 이들의 시위는 2007년 12월 23일 태국 총선에서 승리한 팔랑쁘라차촌당과 제1 야당 쁘라차티빳당(민주당)과의 갈등에서 시작되었다.

팔랑쁘라차촌당과 쁘라차티빳당을 지지하는 지지층은 이념적 뿐만 아니라 지역적으로도 북부·동북부와 남부로 극명하게 분열되어 있다. 탁씬 지지자들에 의하면, 현(現) 아피씻 총리는 군부의 계략에 의해서 당선된 수상이기 때문에 이들은 아피씻 총리의 사임과 총선 실시를 요구하고 있다. 정부청사에 모인 이들은 아피씻 총리가 집무실을 들어가지 못하도록 3주일이나 방해하였다.

2 빨간색 셔츠의 시위대가
거리를 점령하고 있는 모습

　빨간 셔츠 시위대가 2009년 4월 팟타야의 호텔을 점거하여 아세안정상회담이 무산되었고, 이 지역에 비상사태가 선포되었다. 4월 24일 긴급조치 비상사태가 해제되자마자, 빨간 셔츠의 UDD 주도자인 쏨욧 프리싸까쎔쑥(Somyot Prasakkasamsuk)은 방콕 랏따나꼬씬 호텔에서 4월 25일 싸남루엉에서 대규모 집회를 하겠다고 기자회견을 하였다. 쏨욧은 이번 집회의 목적은 UDD 주도자들의 석방 및 이들에 대한 협박 중지, 지역라디오 방송에 대한 방송권 반환, 그리고 2540년(1997년)헌법으로의 복귀라고 밝혔다. 또한 쏨욧은 UDD의 평화로운 시위집회 보장을 위해 경찰병력을 요구하였다. 또한 그는 싸남루엉에서 집회를 마친 후에는 전국 대도시들을 순회하며 집회를 계속하겠다고 말했다. 한 집회에서 위라 무씨까퐁 빨간 셔츠의 주도자는 탁씬 전 총리의 태국 귀환을 위해 1만 명으로부터 서명을 받아 국왕에게 전달할 것이라고 했다 (7월 31일까지 서명운동에 410만 명 참여).

6월 22일 저녁 7시 빨간 셔츠 시위대는 방콕의 싸남루엉에서 태국의 민주주의 77주년 기념집회를 가졌다. 쑤라차이 단와타나누쏜은 "민주 국가를 찾기 위한 민주주의의 반환 요구"라는 주제로 전국의 빨간 셔츠의 시민들에게 6월 27일 대규모 집회에 참석해 줄 것을 요청하였으며, 신(新)자유경제주의 개혁을 이루자고 주장하였다. 그리고 진짜 빨간 셔츠의 주적은 군부도 아니고, PAD도 아니고 아피씻 수상도 아닌 구태적인 사람들의 생각을 보호하려는 무리들이라고 밝혔다.

2009년 6월 27일 싸남루엉에서 빨간 셔츠의 대규모 집회는 폭우 속에서 강행되었으며, 그날 밤 탁씬 전 총리는 국제전화를 통해 '대콘창환(de khon chang fan: 꿈 꾸는 자에게)'이라는 노래를 부르며 집으로 돌아가고 싶다고 밝히며 끝까지 싸우고 있는 자신을 버리지 말 것을 요청하였다. 또 아피씻 정부는 경제정책 실수를 해결하기 위해 국채를 발행하였고, 그 결과로 중소기업들에게 8,000억 바트의 부채 부담을 지우게 하였다. 이로 인해 태국경제는 침체를 맞게 될 것이며, 자신은 얼마든지 태국의 경제회복을 위해 도움을 줄 수 있다고 호소하였다.

이처럼 태국정치 현상에서의 빨간 셔츠는 탁씬의 고향인 북부와 빈곤계층의 북동부지역에서 지지세력의 상징이다. 또한 빨간색이 힘과 열정, 사랑, 심장 등 강렬한 감정을 표현하는 색상이라는 색체연구자들의 주장이외에도 중국계 태국인 탁씬은 중국인들이 선호하는 빨간색을 자신의 지지 세력으로 상징화시켰다.

파란색: 중도 세력

정치적으로 중립을 표방하는 파란 셔츠 세력의 출현은 2009년 4월 팟타야에서 빨간 셔츠 시위대들에 의해 아세안정상회담이 무산된 이후 아피씻 수상의 비상사태 선포직후이다. 4월 12일 이들은 '군주제 수호'라는 문구가 새겨져 있는 파란 셔츠를 입고 빨간 셔츠와 충돌하였다. 빨간 셔츠 시위대들은 이들을 친정부 민병대라고 고소했으나 정부를 이를 부정하였다.

파란 셔츠 세력의 대표자는 탁씬계열에서 민주당에 협력했던 부리람 지역의 네윈 칫첩(Newin Chitchop)이다. 민주당 촌부리도의 쁘라무언 의원은 국가와 촌부리도민을 위해서 모인 집단으로 자신의 소속당 민주당과는 상관없다고 밝혔다. 이들은 4월 촌부리 팟타야에서 열리는 아세안정상회의 개최를 방해하는 빨간 셔츠의 시위대에 반대하여 회의가 정상적으로 개최되는 것을 목적으로 시위를 시작하였으나, 결국은 폭력충돌까지 확산되었다.

6월 21일 동북부지역의 싸껀나컨 3구역 국회의원 보궐선거에서 태국을 위한 당(빨간색: 친 탁씬계)의 아누락 분쏭후보가 태국자긍심당(파란색: 반 탁씬계)의 피탁 짠타씨리 후보를 제치고 싸껀나컨 3구역 국회의원에 당선되었다. 태국자긍심당의 파란색은 국기에서 국왕을 상징하는 파란색을 알리고, 개인과 단체들이 침범하고 있는 왕실기관을 수호하는 정당으로 이미지시켰다. 또한 이 당은 태국민의 화합과 민주주의 제도에 따라 국가의 문제해결을 원하기 때문에 폭력과 분열을 원하지 않는다고 주장하고 있다.

노란색과 초록색: 새 정치당(New Politics Party)

반 탁씬세력으로 노란 셔츠의 시위대는 지난 해 두 차례 공항을 점거하여 국제적으로 악명 높았다. 2006년 쿠데타 이후 3명의 수상(싸막, 쏨차이 및 아피씻)을 탄생시키는데 주요한 역할을 했던 노란 셔츠의 PAD의 주모자 쏜티는 처음 약속과는 달리 정당을 창당하여 정치권력에 도전을 하고 있다. 그는 태국의 영자지 'The Nation'와의 인터뷰에서 "만일 내가 정치에 나가면 내 얼굴에 당신의 신발을 벗어 던져라"라고 말한 적이 있다. 또한 전 방콕시장이며 PAD 공동 발기인 짬렁(Chamlong Sri-Muang)은 이 시위대들이 정당이 되려는 의도가 없다고 말 한 바 있다. 그러나 짬렁은 자신의 개인적 이익을 위해 정치인들이 군부에 의해 초안된 2007년 헌법을 개정하였고 이제는 더 이상 구 정치제도를 관용할 수 없다고 부언하였다. 이는 PAD가 처음 약속한 것과 달리 정치적 입장을 수용했을 뿐만 아니라 또한 자신의 트레이드마크 색을 바꾸는 것이다.

2009년 5월 25일에 수천 명의 PAD 지지자들이 만장일치로 창당에 찬성하였다. 창당 하루 전날 5월 24일 총회에서 PAD는 노란색(국왕지지 상징)에서 노란색과 초록색으로 바꾼다고 선포하였다. 쏜티는 4월 17일 암살위기에서 모면한 이후 "초록색은 친 환경과 깨끗한 정치를 나타낸다"고 말한 적이 있다. 이는 태국정국의 사태를 초래한 시위대들이 순수한 시민저항세력이 아니라 정치집단인 것을 시사한 것이다.

6월 2일 21명의 창당 발기인은 노란 셔츠의 PAD측이 '새 정치당(New Politics Party, 깐므엉마이)'을 PAD의 정당이름으로 정했다고 발표하였다. PAD 1기 주도자 쏨싹 꼬싸이쑥가 정당대표, 사무관 쑤리야싸이 까따씰라가 사무총장으로 6월 4일 선거관리위원회에 등록하였다.

이와 같이 2006년 9월 군부쿠테타이후 태국정치의 현상은 노란색, 빨간색, 파란색, 그리고 노란색-초록색의 색 이미지로 자신들의 정체성 및 지지를 세력화하여 국민들에게 호소하는 정치 이미지를 상징화시키고 있다. 약속과 달리 새로이 창당된 '새 정치당'은 현 아피씻 총리의

기반인 민주당의 세력을 분열시킬 것으로 예측되며, 다음 총선에서 과거 정치적으로 극우성향과 경제적 좌파성향의 PAD의 전략으로는 정권창출이 어려울 것으로 민주당과의 차별화된 새로운 정치적 이미지의 변신으로 노란색(군주)-초록색(깨끗한 정치)을 상징화시키고 있다.

태국의 벽화 엿보기

노장서

    태국은 대표적인 불교의 나라 중 하나이다. 태국의 불교는 소승불교로 알려진 상좌부 불교가 대표한다. 중국인들이 모여 사는 곳에는 관세음보살 숭배 등 대승불교도 나타나지만, 필자의 관찰로는 아직까지는 상좌부불교가 보편적이다.

    우리나라와 태국 간에 불교사찰의 전각 구성은 상당한 차이가 있다.

1 포살당, 왓총논씨, 방콕

2 승려들의 참회식, 포살당, 왓쑤탓, 방콕

③ 수계식, 왓프라탓채행, 난

대승불교가 중심인 우리나라 사찰의 경우 석가모니부처를 모시는 대웅전 이외에도 대광명전, 극락전, 미륵전, 약사전 등 다른 부처나 보살을 모시는 다양한 불전이 존재한다. 하지만, 소승불교의 나라인 태국의 경우에는 대웅전 성격의 위한 'Viharn'이라는 불전 하나만 존재하는 대신, 승려의 수계식 및 참회식이 거행되는 포살당-봇(Bot)이 태국 사원에서는 엄청난 중요성을 갖는다.

태국의 포살당은 특별한 지위가 부여되는 공간이다. 포살당 주위에는 룩니밋(luk nimit)이라는 둥근 돌을 땅속에 묻는데, 사방과 각 간방 및 중앙에 모두 9개의 룩니밋을 묻는다. 룩니밋을 묻은 자리 위에는 보리수 잎사귀 모양의 돌을 설치한다. 이를 바이쩨마(bai sema)라고 하며, 가운데를 제외하고 모두 8개의 바이쩨마가 설치된다. 포살당은 원칙적

④ 룩니밋, 왓프라탓촘핑, 람빵

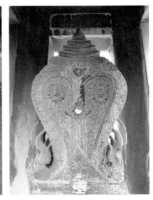

⑤ 바이쩨마, 왓아룬, 방콕

으로 평신도들에게는 출입이 허락되지 않는 공간이다. 물론 특별한 경우 예외적으로 평신도의 출입이 허용되기도 하지만 승려들의 수계식이나 참회식이 거행될 때는 출입불가이다. 따라서 바이쎄마는 해당 건물이 포살당 임을 알 수 있게 해주며, 평신도의 출입이 제한되는 신성한 영역임을 나타내 준다.

외형면에서 봇(포살당)은 승—속의 공용 공간인 위한(대웅전) 보다 특별히 눈에 띄는 것은 없다. 오히려 평신도의 참배나 법회가 열리는 위한이 더 규모가 큰 경우가 많다. 하지만, 바이쎄마의 설치만으로도 태국 사원의 봇은 특별한 위엄이 느껴진다. 또한, 아유타야 왕조 시대와 방콕 왕조 초기에 건축된 다수의 봇에는 특별하고 아름다운 벽화들이 남아 있다. 유럽의 문물을 적극적으로 수용하여 태국의 근대화에 기초를 놓은 방콕 왕조의 라마 4, 5세(재위: 1851~1910)시기와 비교하여, 그 전까지를 태국 건축예술의 고전기로 분류한다. 아유타야왕조 때 제작된 벽화들과 라마 3세(재위: 1824~1851) 이전에 제작된 방콕왕조의 고전기 벽화들을 분석해 보면 내용과 형식이 점차 양식화되어가는 모습을 보이며, 라마 3세 시대에 이르러서는 고전적 예술 표현이 정점에 달한 것으로 평가된다.

태국의 벽화제작 전통은 프레스코화 제작기법과 유사하다. 태국의 온난 다습한 기후적 환경은 프레스코화의 보존을 어렵게 만들어, 고전기에 제작된 벽화 중 현재 제대로 보존되어 있는 벽화는 드물며 해가 갈수록 벽화의 상태는 악화되고 있다. 이 같은 상황 속에서 다행스러운 것은 태국인들이 사원의 벽화를 자랑스러운 문화유산으로 인식하고 있으며, 이를 보존하기 위해 민관 각계에서 다양한 노력이 전개되고 있다는 점이다. 하지만, 시간을 멈출 수 없듯이 완벽한 보존은 불가능하며, 언젠가는 사라져야 할 운명이다.

필자는 2006년에 방콕 일대의 불교사찰 벽화를 조사한 적이 있다. 조사 대상은 17세기 후반 아유타야왕조 시대부터 방콕왕조의 라마3세 시대까지 사이에 제작된 불교사찰벽화(불벽화)들로서 대다수가 포살당 내에 남아 있는 것들이다. 태국에서 현존하는 불벽화 중 가장 오래된 것들은 씨싸차날라이 소재 왓쩨디쩻태우 사원의 한 불당에 남아있는 벽화(14세기 추정)와 아유타야 소재 왓라차부라나 사원의 중앙탑 내부에 그려진 벽화(15세기) 등이다.

 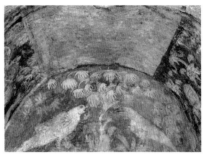

6 불벽화(神衆의 花冠 추정), 14세기, 왓쩨디쩻 태우, 씨싸차날라이

7 불벽화(본생담 묘사), 15세기, 왓라차부라나, 아유타야

그런데 아쉽게도 태국에서는 이 벽화들이 제작된 시기로부터 17세기 전반까지 약 200년간 다른 벽화가 발견되지 않는다. 17세기 후반부터 다시 등장하는 불벽화들은 이들 14, 15세기 불벽화들과 형식이나 내용면에서 현저한 차이를 보여 사라진 200년간 태국 불벽화의 진화과정을 추정하기가 쉽지 않다. 대신, 삼계론, 불전담, 본생담 등을 전하는 필사본에 변상도(變相圖)가 다수 남아있는데, 그 내용이나 형식이 17세기 이후 제작된 벽화와 상당히 유사하여 태국의 고전기 벽화는 이들 사경변

상도(寫經變相圖)의 영향을 받아 발전한 것으로 추정된다.

17세기 후반부터 19세기 중반에 걸친 고전기에 제작된 불벽화들은 어느 정도 양식화된 모습을 보인다. 주요 주제는 석가모니 부처의 본생담(자타카) 중 토싸찻이라고 하는 10개의 본생담과 불전담이며, 벽에 설치된 창문의 하단부 이상을 벽화의 묘사 범위로 삼는다. 본생담과 불전담의 주요 스토리에 묘사되는 영역은 창문의 상하단 사이이며, 창문의 상단부 위로는 주로 신중(神衆)이 묘사된다. 석가모니불상의 후불벽에는 수미산을 포함하는 구산팔해의 삼계도가 묘사되고, 석가모니불상이 응시하는 출입문 위쪽에는 수하항마도가 묘사된다.

8 태국 사찰 불벽화의 주제별 배치구조. 배경은 왓통탐마찻의 봇 내부 벽화. 제작시기는 19세기. 가. 신중도, 나. 본생담, 불전담, 다. 삼계도, 라. 수하항마도.

석가모니가 현세에서 부처가 될 수 있었던 것은 과거 삼계를 윤회하면서 전생에서 쌓은 수많은 공덕의 결과로서 그 과정이 본생담에 나타나 있고, 석가모니가 현세에 태어나 해탈에 이르기까지 겪는 구도의 과정은 그의 불전담에 나타나있다. 태국의 포살당 내부를 가득 채우고 있는 벽화는 한마디로 석가모니가 부처가 되기까지의 과정을 그리고 있는 것으로서 본생담과 불전담에 기반한 다양한 에피소드를 묘사하고 있다.

9 석가의 탄생(비람강생). 왓차이아 틧. 19세기.　10 석가의 삭발(유성출가). 왓쑤완나람. 19세기.　11 수하항마. 왓방이칸. 19세기.

12 초전설법. 왓통탐마찻. 19세기.　13 도리천설법 후 지상귀환. 왓차이아틧. 19세기　14 쌍림열반. 왓통탐마찻. 19세기.

    석가모니부처의 본생담은 모두 547개가 전하는데, 이들 중 태국에서는 토싸찻(Thosachat)이라고 하는 10개의 본생담(자타카)이 유명하며 불벽화의 소재가 된다. 10개의 본생담은 테미야(Temiya) 자타카, 마하자나카(Mahajanaka) 자타카, 사마(Sama) 자타카, 네미(Nemi) 자타카, 마호사다(Mahosadha) 자타카, 부리닷타(Buridatta) 자타카, 칸다쿠마라(Candakumara) 자타카, 나라다(Narada) 자타카, 비두라판디타(Vidhurapandita) 자타카, 베싼타라(Vessantara) 자타카 등이다. 이들 중에서도 베싼타라 자타카를 가장 중요하게 여기며, 베싼타라 자타카를 특별히 마하찻(Mahachat)이라고 부른다.

    베싼타라는 시비(Sivi) 왕국의 왕인 산자야의 아들로 태어나 그가 가진 모든 것을 남에게 주는 절대적 자선의 존재이다. 그는 왕위에 있을 때 국민들이 비를 내려주는 존재로 믿고 사랑하던 코끼리를 가뭄에 빠진 이웃 국가에 주어 국민들의 원성을 사서 가족과 함께 쫓겨나게 된다. 쫓겨나는 순간에도 그가 가지고 있던 7백가지의 소유물들을 사람들에게 나누어 준다. 그리고 마차를 타고 그의 나라를 막 떠나려는 순간 만난 네 명의 바라문(Brahmin)들에게 마차를 끌던 네 필의 말을 줘 버리며, 마차마저도 나중에 나타난 또 다른 바라문에게 준다. 그의 나라에서 쫓겨나 히말라야 기슭 숲속의 한 외딴곳에서 가족과 함께 생활하던 베싼타라는 주자카(Jujaka)라는 한 가난한 바라문이 종으로 쓰기 위해 그의 자녀들을 달라고 하자 기꺼이 자신의 아들과 딸을 준다. 최종적으로 그는 그의 아내마저도 바라문으로 위장한 인드라(제석천)에게 줘버린다.

15 테미야자타카. 왓방이칸. 19세기.

16 마하자나카자타카. 왓쑤완나람. 19세기.

17 사마자타카. 왓방이칸. 19세기.

18 나라다자타카. 왓 총논씨. 17세기.

19 부리닷타자타카. 왓 쑤완나람. 19세기.

태국에서 통용되고 있는 불전인 파타마삼보디(Patamasambodhi)를 보면, 석가모니가 마왕의 공격을 이겨내는 수하항마의 상황에서 자신이 전생에 베싼타라로 태어났을 때 행한 자선을 직접 언급하면서 지모신을 불러내는 모습이 묘사되고 있다. 아마도 불전에서의 이 같은 특별한 언급 때문에 베싼타라 자타카가 마하찻으로서 나머지 9개의 자타카보다 훨씬 큰 중요성을 부여받고 있는 것 같다. 이를 반영하듯 태국의 불벽화에서 베싼타라 자타카는 다른 자타카에 비해 훨씬 많은 분량으로 묘사된다.

20. 21. 22 베싼타라 자타카. 왓쑤완나람. 19세기.

한편, 이 본생담에는 베싼타라가 위에서 언급한 자선을 베풀 때마다 자선을 받는 자들의 손에 물을 뿌리는 행위가 묘사되고 있다. 이 행위는 보시행위를 행하거나 약속한 후 이를 확인하기 위해 행하는 인도 고래의 관습이다. 태국의 불전 파타마삼보디에는 석가모니가 불러낸 지모신이 머리카락에서 물을 짜내어 마라와 그의 군대를 휩쓸어 버리는 모습이 묘사되고 있는데, 이는 석가모니가 전생에 쌓은 엄청난 공덕의 양을 보여 주는 장면이다.

태국의 불벽화에서는 수하항마의 순간을 가장 극적으로 묘사하고 있다. 마라의 공격에 직면한 석가모니가 자신의 공덕을 증명할 수 있는 지모신을 불러내기 위해 오른손으로 땅을 가리키는 수인(手印, mudra)이 바로 항마촉지인(降魔觸地印)이다. 태국의 포살당에서 석가모니불은 가부좌의 자세를 하고 항마촉지인을 한 채로 포살당의 출입구를 향하고 있으며, 그의 눈이 응시하고 있는 위치 즉 포살당의 출입구 바로 위에는 수하항마의 장면이 묘사된다. 수하항마도의 기본구도는 포살당의 주불상과 동일한 자세의 또 다른 석가모니불이 보리수 밑 금강보좌 위에 가부좌하고 있으며, 바로 아래에는 그의 호출을 받아 머리카락에서 물을 짜내는 지모신이 위치하고, 좌우로는 석가모니를 공격하다 공덕의 물에 휩쓸려 패퇴하는 마왕과 마군의 모습이 묘사되고 있다.

　이 도상에서 우리의 눈길을 사로잡는 것은 지모신 토라니(Thorani)의 모습이다. 잘록한 허리 위로 풍만한 가슴을 드러낸 육감적인 몸매의 지모신은 한쪽 팔을 위로 올려 손으로 머리카락의 밑둥을 붙잡고 다른 손으로는 머리카락의 끝을 잡아 물을 짜내는 자세를 하고 있다. 한편 하체는 한쪽 다리로 곧게 서고 나머지 다리는 무릎을 약간 구부려 엉덩이와 허리가 살짝 비틀린 모습을 하고 있다. 이 모습은 인도 산치대탑의 토라나 조각에서 나타나는 약쉬(Yakshi)상의 살라반지카(Salabhanjika)라는 포즈와 거의 유사하다. 고대 인도의 살라나무를 꺾는 놀이로부터 유래했다는 이 포즈는 여성의 출산, 생산력, 풍요를 상징하는데, 석가모니의 모친 마야부인이 석가모니를 낳을 때도 같은 자세를 취한다. 마야부인을 통해 인간계에 태어난 석가모니는 수하항마의 과정을 거쳐 마침내 부처로 다시 태어나게 되는데, 이 과정에서 석가모니의 성도를 돕는 지모신의 모습을 영적 출산을 의미하는 살라반지카의 자세로 나타낸 것은 아무리 생각해도 심오하기만 하다.

한편, 약쉬의 살라반지카 - 마야부인의 출산 장면 - 토라니의 머리카락에서 물을 짜내는 모습은 공통적으로 엉덩이와 허리 및 상체가 서로 다른 세 방향으로 향하고 있는 역동적인 모습인데 트리방가 (tribhanga)라는 자세로 알려져 있다. 삼곡지세(三曲之勢)로 번역하기도 한다. 인도 예술에서 신상이나 인체를 묘사할 때 즐겨 사용하는 이 자세는 인도 전통무용의 기본 자세와도 관련이 있는 것으로 알려져 있다. 혹자는 트리방가라는 용어가 살라반지카의 자세를 지칭하기에는 적당치 않다는 반론을 제기하기도 하나, 이미 이 용어는 위와 같은 특정한 자세를 나타내는 것으로서 광범위하게 사용되고 있다.

23 약쉬. 사암. 마투라. 약 2세기. Seattle Asian Art Museum   24 마야부인 출산. 왓통탐마찻. 19세기.   25 지모신 토라니. 왓차이아팃. 19세기.

그런데 태국의 불전 파타마삼보디와 불벽화에서 나타나듯 지모신이 머리카락에서 석가모니가 축적한 공덕의 물을 짜내어 마라를 제압한다는 관념은 동북아시아에서 널리 읽히는 대방광장엄경 등 다른 불전에서는 찾아볼 수 없는 것이다. 머리카락에서 물을 짜내는 지모신 도상은 태국과 미얀마의 버강 및 캄보디아의 앙코르 등 주로 대륙부 동남아시아에서 발견된다. 11~12세기 건축물로 추정되는 바간의 아베야다나(Abeyadana) 사원

26 수하항마 부조, 타프롬사원, 캄보디아, 12~13세기

의 벽화에서 볼 수 있는 지모신은 한쪽 무릎을 세우고 앉아 머리카락을 짜내는 모습으로 묘사되고 있다. 12~13세기에 건축된 캄보디아 타프롬(Ta Prohm) 사원에는 수하항마부조가 조각되어 있는데 몸 앞으로 늘어뜨린 머릿단을 양손으로 붙잡고 있는 자세의 지모신상이 묘사되고 있다.

이처럼 수하항마의 순간에 머리카락에서 물을 짜내는 지모신상의 존재는 인도나 동북아시아 등 다른 불교문화권에서는 발견되지 않는 이 지역만의 독특한 특징이다. 이 관념의 형성기원에 대해서 일부 학자들의 제시가 있었지만 가설 수준에 머무르고 있다. 불교 도상 이외에 힌두교 도상에서도 유사한 이미지가 발견된다. 캄보디아에 있는 고대 앙코르제국의 힌두사원을 살펴보면 머리카락을 짜거나 매만지고 있는 모습의 압사라(Apsara) 혹은 데바타(Devata) 부조를 많이 발견하게 되는데, 사원을 풍만한 여성의 부조로 장식하는 인도 건축 전통으로부터 영향을 받은 것이다.

28 2세기 인도 마투라 스투파 난간 기둥 장식 스나나순다리 재현도.

29 머리카락을 매만지는 여인상 부조. 앙코르왓. 캄보디아. 12세기.

30 머리카락을 매만지는 여인상 부조. 바욘. 캄보디아. 12세기 혹은 13세기.

인도 마투라(Mathura)의 한 스투파 난간 기둥에서는 아름다운 젊은 여성이 목욕을 마친 후 반라의 모습으로 머리카락을 짜내고, 거위가 그 물을 받아먹는 모습의 부조가 발견되는데, 이 같은 여성상을 스나나순다리(snana sundari)라고 한다. 전통적으로 인도는 종교건축물에 에로틱한 여성의 모습을 즐겨 장식해 왔는 바, 번성, 다산의 상징성을 가지고 있으며, 사원과 공동체의 수호자라는 의미도 함께 지니고 있다. 이처럼 지모신과 스나나순다리가 어느 정도 유사한 상징성을 공유하고 있는 점과, 동남아시아 지역이 인도의 영향을 받아 온 점을 감안하면, 스나나순다리상이 머리카락의 물을 짜내는 지모신상의 원형일 가능성도 배제할 수는 없는 것 같다.

한편, 태국의 포살당 봇에는 주불상인 석가모니불의 뒤편 즉 후불벽(後佛壁)에 수미산을 포함하는 구산팔해(九山八海)의 광경이 묘사되고 있다. 대칭구도를 보이는 돌기둥들을 중심으로 하늘 – 바다 – 땅의 장대한 광경이 펼쳐지는데 보통 뜨라이품(Traiphum) – 삼계도라고 부른다. 이 삼계도는 하나의 거대한 광배처럼 석가모니불의 뒤에 배치되어 장식적인 성격을 강하게 띠고 있다. 후불벽에 삼계도를 장엄하는 것은 왕실전용사원인 왓프라깨우(Wat Phra Kaeo)를 포함해서 왓싸껫(Wat Saket), 왓쑤완나람(Wat Suwannaram), 왓차이아팃(Wat Chaiathit), 왓통탐마찻 등 방콕의 주요 사원에서 볼 수 있다.

이들 사원에서 볼 수 있는 삼계도의 공통적인 특징은 벽의 가장자리에 세계의 경계를 의미하는 철륜위산(鐵輪圍山)을 그려 넣고, 안쪽으로 수미산(須彌山)과 칠금산(七金山)을 배치한다. 또한 수미산을 중심으로 회전하는 태양과 달, 즉, 일월상이 좌우 양측에 배치되며, 그 높이는 칠금산 중 가장 높은 지쌍산(持雙山)의 높이를 넘지 않는다. 수미산의 도리천(忉利天)과 철륜위산 사이의 공간 즉 하늘에는 다양한 신중(神衆)들이 배치된다. 수미산과 칠금산의 아래에는 내해(內海)와 외해(外海) 등 바다가 묘사되며, 그 바다에는 승신주, 우화주, 구로주, 섬부주 등 4대륙이 묘사된다. 섬부주(贍部洲)는 주로 설산 숲의 아뇩달 호수가 묘사되고 경우에 따라 그 밑에 인간 거주하는 도시의 모습이 그려진다.

③1 삼계도 후불벽화. 왓통탐마찻. 19세기.

③2 4대주 묘사. 승신주(좌) 및 우화주(우). 왓 차이아팃. 19세기.

③3 설산 숲의 아뇩달 호수. 왓통탐마찻. 19세기.

③4 도시도. 왓통탐마찻. 19세기.

태국의 삼계도에서는 도리천(忉利天)의 모습이 매우 강조되고 있다. 한 연구에 따르면, 태국 불벽화에서 삼계도가 등장하게 된 배경은 석가모니가 성도(成道) 후 7년째 우안거에 도리천으로 올라 모친과 신중들에게 3개월간 불법을 전한 후 상카샤로 내려왔다는 불전담(도리천강하혹은 상도보계강하)을 묘사하기 위해서인 것으로 본다. 이 설화에서 석가모니는 금계단을 타고 내려오는데, 그의 왼쪽에는 제석천의 수정계단이, 오른쪽에는 범천의 은계단이 설치되어 있으며, 그가 계단을 타고지상으로 내려올 때 수많은 신중들이 그를 수호한다. 이때 모든 중생들이 천, 지, 지옥의 3계를 서로 볼 수 있게 된 기적이 일어났는데, 이를연유로 이 장면을 묘사한 벽화를 뜨라이품(Traiphum), 즉 삼계(三界)도라고 칭한다는 것이다. 이 논의를 따른다면, 삼계도는 석가모니의 도리천에서의 설법과 지상으로의 귀환을 묘사하기 위해 그려진 것이므로,도리천의 모습이 강조되고 있는 점을 이해할 수 있다.

35 도리천 설법. 왓차이아팃. 19세기   36 지상 귀환. 왓차이아팃. 19세기.   37 지옥. 왓차이아팃. 19세기.

그런데, 태국의 삼계도는 사찰에 따라, 조금씩 다른 차이를 보인다. 라마 3세때 제작된 왓쑤완나람의 벽화에서는 후불벽에 석가모니가 도리천에서 모친이었던 마야부인 등에게 법을 전한 후 삼계도를 배경으로 하여 계단을 타고 내려오는 지상으로 귀환하는 모습이 묘사되고 있다. 같은 라마 3세 시대의 작품인 왓 차이아팃 소재 후불벽화의 경우에는 삼계도를 배경으로 수미산 위 도리천에서 석가모니가 설법하는 장면만 묘사된다. 지상으로 귀환하는 장면은 별도로 측면 벽에 묘사하고 있다. 왓 통탐마찻의 경우에는 삼계도만 후불벽을 장식하고 있고, 도리천 설법과 지상귀환 장면은 본존불의 오른쪽 벽에 따로 묘사하고 있다.

태국 삼계도의 원형이 되는 첫 번째 구도의 출현은 현재로서는 알 수 없다. 분명한 것은 아유타야 시대의 사경변상도에 수미산을 중심으로 대칭을 이룬 9산 8해의 구도가 이미 나타나고 있으며, 그것은 오랜 진화의 결과라는 것이다. 오랜 세월에 걸쳐 화가들의 다양한 작업이 누적되었고, 왓꼬깨오쏫타람의 삼계도에서 보듯 17세기경에는 기본적인 구도가 이미 자리를 잡은 것으로 추정된다. 한 가지 흥미로운 사실은 이웃 국가인 미얀마의 바간에서는 12세기경에 제작된 삼계도가 발견된다. 바간 소재 로카테익판(Lokahteikpan) 사원은 12세기에 축조된 건물이다. 이곳 북쪽 성소 동쪽 벽에 그려진 벽화는 도리천에서 설법을 행한 후 계단을 타고 지상으로 내려오는 석가모니불의 모습을 묘사하고 있는데, 태국 삼계도의 원형이라고 불러도 좋을 만큼 내용과 형식 모두 상당한 유사성을 보여준다. 심도 있는 연구가 필요한 대목이다.

타이 도자기와 요지

김인규

  동남아시아의 조형문화에 대한 연구는 19세기 말 프랑스를 중심으로 유럽 및 미국의 학자들에 의한 고고학과 인류학적인 성과에도 불구하여 각지역의 민족문화의 형성과 발전과정을 명확하게 드러내지 못하는 한계를 드러내고 있다.

  지리적으로 동남아시아의 대륙의 중앙에 위치한 태국은 중국, 크메르, 미얀마 등 주변 국가들과 정치, 사회, 문화적으로 긴밀한 관계를 갖고 발전해 왔다. 태국은 문화적으로 일정시기에 인근 지역과 문화교류를 통하여 자국의 문화를 발전시키는데 그치지 않고, 자국의 문화를 아시아를 넘어 전 세계로 전파시킨 사례가 있다.

  이것은 명나라가 해금(海禁)정책을 실시하고 명의 문물 특히 도자기가 해외로 반입되지 못하면서, 중국의 도자기를 대신하여 부상했던 태국의 무역 도자기를 통해 명확하게 드러나고 있다.

태국의 무역 도자기는 1371년 명의 해금정책이 실시된 14세기 후반부터 명의 해금정책이 유명무실화되는 16세기 중엽까지 약 170 여년간 중국 도자기를 대신하여 동남아시아를 물론 동아시아와 서아시아에 반입된다.

아시아 전역에 태국의 도자기가 반입된 사실은 최근 아시아 전역에서 전개된 도시화의 과정에 따른 일련의 발굴로 그 정체가 서서히 드러나 무역 도자기로서 태국 도자기의 역할과 위상이 전 세계에 알려지게 되었다.

예를 들어 14세기 후반 이후 오키나와(沖繩) 유적에서 발굴된 다량의 태국도자기는 무역 도자기로서 태국도자기의 위상을 설명하는 데 좋을 예가 되고 있다. 나아가 서아시아의 이집트 푸스타트(Egypt, Fustat) 유적이나 이란의 유적에서 발굴된 태국의 씨싸차날라이 청자의 존재는 14세기 중엽까지 무역 도자기의 대표적인 트레이드 마크였던 중국 용천요청자의 역할을 위협하기에 충분했다.

이와 같이 세계의 조형문화의 역사에서 매우 중요한 역할을 담당한 태국의 도자기에 대한 연구는 1930년에 개시되었고 1960년대 이후 타이 북부지역에서 요지의 발굴이 이루어지면서 본격화된다. 특히 존 쇼(John Shaw)에 의해 이루어진 타이 북부지역의 요지에 대한 연구, 조사는 타이 도자기 특히 청자 및 철회백자의 연구에 선구적인 역할을 하였고, 이후 록산나 브라운(Brown,R.M.)에 의한 연구 역시 타이의 쑤코타이 및 씨싸차날라이 도자기의 양상을 밝히는데 커다란 공헌을 하였다.

타이 도자기의 흐름

타이에서 도자기가 제작된 것은 10000여년 전부터로 알려져 있다. 반치양 이후 기원전 4천년의 반치양(Ban Chieng)와 기원 전후의 반카오(Bang kao)지역에서 본격적으로 토기와 채색토기가 제작된다. 특히 반치양(Ban Chieng) 지역에서 만들어진 화려한 채문토기는 구운 후에 채색을 한 것으로 물에 씻으면 색이 지워지는 등 실용성이 떨어져 실용용기보다 부장용으로 사용되었을 가능성이 높다. 그리고 이러한 채색토기는 철기와 함께 출토되고 있어 타이의 토기 문화와 금속기 문화를 이해하는 중요한 기회를 제공하고 있다.

1 반치양(BanChiang)채색토기　　　2 반카오 토기

반치양의 채문토기에 사용된 안료는 빨간 광석의 안료에 나무 액을 섞은 것으로 생각되고 문양으로는 개구리, 거북이 등 동물 문양, 나뭇잎 문양, 삼각이나 사각의 기하학적인 문양, 남녀의 성기를 나타낸 문양들이 있다.

그리고 태국 국내 유적에서 베트남 푸난(扶南)의 옥에오(Oceo) 유적에서 출토된 토기의 일부가 발견되어, 타이 고대 토기의 역사는 현재 베트남 남부 및 캄보디아 지역과 밀접한 관계를 보여주고 있다.

그리고 푸난을 멸망시키고 등장한 쩐라(眞臘)는 짜오프라야(Chao Phraya) 강을 중심으로 발전하여, 6세기 경에는 드바라바티(Dvaravati) 왕국을 세우게 된다. 이 왕국은 9세기에 융성하여 11세기에는 크메르의 통치를 받는다.

드바라바티 도자기는 대부분 생활용기로 호, 발, 물병 등이 토기로 만들어졌다. 토기는 물레를 사용하여 인도풍의 주전자 등을 제작한 것으로 알려져 있다. 태토는 회색이 기본이고 약간 붉은색이 감돈다. 토기의 표면에는 인화문, 짚으로 새긴 문 등이 새겨져 있다.

드바라바티 왕국이 망할 즈음 일부의 몽(Mon)족이 북쪽으로 이동하여 람푼(Lamphun)을 중심으로 하리푼차이(Haribhunchai) 왕국을 세우게 된다. 하리푼차이의 토기로는 탑형의 뚜껑을 가진 호, 평저의 접시 등이 있고, 문양은 음각(파거나) 도장으로 찍은 문양이 사용되었다. 제작시기는 11세기부터 13세기 후반까지이고 이후 란나타이의 도자기에 많은 영향을 주게 된다.

타이 지역에 유약을 바른 도기가 출현한 것은 크메르로부터 지배를 받았던 타이 지역에서 발굴된 크메르도기에서 확인할 수 있지만, 이후 태국 시유도기의 전개과정 등은 아직 밝혀진 바가 없다. 태국지역에서 시유도자기가 제작되는 대표적인 곳은 중부 쑤코타이, 씨싸차날라이 요지, 북부 란나타이의 카롱, 쌘캉팽 등의 요지가 알려져 있다.

14세기 후반 이후 태국의 시유도기는 씨싸차날라이의 코노이 요지와 쑤코타이 요지에서 대량생산되었고 몽(Mon) 도기와 청자, 철회백자 등으로 구분할 수 있다. 몬도기는 태국에서 무역 도자기가 제작되는 14세기 후반 이전의 것으로 씨싸차날라이 요지의 최하층에서 발견되어 타이 중부 지역의 시유도자기의 시원과 전개과정을 살피는 데 매우 중요한 의미를 지니고 있다.

③ 몬토기 14세기　　　　④ 벤차롱 색채자기 18세기

그리고 씨싸차날라이와 쑤코타이 요지에서 제작된 청자와 철회백자는 기형과 문양이 원대의 용천요청자와 경덕진요의 청화백자와 유사하여, 중국 남부 지방의 요지 및 도자기를 모델로 제작된 것으로 추정된다.

그리고 17세기의 야유타야는 청대의 색회자기(色繪磁器)를 동경하여, 궁실용의 도자기로 벤차롱(Bencharong)을 중국 경덕진에 주문하고, 18세기에는 태국 국내에서 금빛의 장식이 두드러진 라이남텅(Lai Nam Thong)을 생산하기에 이른다.

나아가 19세기 후반에는 쭐라롱껀 대왕(라마 5세, 1868~1910)의 시대에 황태자 보본이챠이챤은 궁전 내에 라이남텅을 만들 수 있는 요를 만들어 구라톤고무라는 작은 타호를 만들게 했다. 이와 같이 태국은 17, 18세기 아시아와 유럽을 휩쓴 쉬로아즈리(중국취미)라는 풍조에 동참하여 청대풍의 색회자기를 제작하기에 이른다.

타이 도자기의 요지

태국의 요지는 북부지방(란나타이), 중부지방(씨싸차날라이와 쑤코타이), 동북부지방(이산, Isan)으로 나눌 수 있다. 각 지역의 요지는 시대의 변화에 따라 인근 국가인 중국, 크메르, 베트남과의 문화적인 교류로 다양한 양상과 발전을 보이게 된다.

이러한 지역 중에서 가장 오랜 역사를 가지고 있고 대량생산된 도자기의 일부를 인근 다른 지역으로 유통시킨 곳은 동북부 이싼(Isan)지방의 부리람(Buriram) 요지이다. 이 요지는 13세기 초, 인근 크메르의 지배를 받게되어 크메르 앙코르지역에서 생산된 도자기와 유사한 도자기를 생산하기에 이른다.

타이 북부지역에서 시유도기의 요지가 만들어진 것은 란나(Lanna) 타이왕국의 시기이다. 이 지역의 요지에 대한 조사는 1960년 J. C. Shaw에 의해 이루어졌다. 대표적인 요지로는 카롱(Kalong) 요지, 싼캄팽(Sankampaeng) 요지 등이 있고, 많은 사람들이 살았던 지역을 중심으로 분포한다.

이러한 요지들은 13세기부터 19세기까지 유지되었고 치앙마이 분지를 중심으로 산간의 구릉에 위치한다. 이 지역의 요지는 산의 경사를 이용한 지하식 또는 반지하식 단실요가 대부분으로 완이나 접시 등을 생산하였다.

카롱(Kalong) 요지는 라오(Lao)강이 흐르는 파파오(Papao)와 왕누와(Wang Nuea)지역을 중심으로 다수가 남아있다. 이러한 요지는 진흙을 햇빛에 말려 만든 4~5m 정도 규모로 아궁이는 작고, 굴뚝이 좁은 것이 특징이다.

표1 타이의 주요 요지　　5 카롱 요지　　6 카롱 왕누아 요지청자

　카롱 요지에서 생산된 도자기는 녹색의 연유도기, 청자, 백자, 철화 백자 등이 있다. 카롱요의 백자와 철회백자는 동아시아에서 백자가 유행했던 15세기에 제작된 것으로 여겨진다. 카롱요의 하나인 왕느아(Wang Nuea) 요지에서는 청자가 주로 제작되었고, 명대의 용천요청자를 모델로 삼았고 제작시기는 15세기이다.

7 와트 치앙센(Wat Chiangsaen)의 싼캄팽 요지　　8 싼캄팽 흑유자

　싼캄팽(Sankampaeng) 요지는 치앙마이 동부 싼캄팽마을 부근에서 확인되고 있다. 요지의 길이는 3~5m로 소성실은 타원형으로 뒷

부분에 굴뚝이 마련되어 있다. 요의 구조는 중국 운남성의 요지와 유사하여, 운남성의 제도(製陶)기술이 산칸테의 요지에 전해진 것으로 생각된다.

싼캉팽 요지는 쇼(J. C. Shaw)의 조사로 많은 요지가 알려졌다. 싼캉팽에서 만들어진 도자기는 청자, 백자, 철회백자등 다양하고, 태토는 기본적으로 갈색이다. 청자는 반(盤)이 많이 남아있다. 반의 안쪽에는 쌍어문이 시문되었고, 바깥 주변에 방사의 선이 촘촘하게 새겨졌다. 동일한 문양이 원, 명의 용천요청자에서 자주 보여 싼캉팽의 도자기의 생산에는 중국 남부 용천요청자의 영향이 강했던 것으로 파악된다. 싼캉팽의 도자기는 전반적으로 생활용기로 제작되었고 문양은 간략한 것이 특징이라고 할 수 있다.

13세기 중엽 쑤코타이 왕국이 건설되면서 쑤코타이와 쑤코타이 북방 10km에 위치하는 씨싸차날라이에 대단위의 요지가 만들어지게 된다. 타이의 무역 도자기는 씨싸차날라이 및 쑤코타이지역의 양지역에서 만들어진 것이 대부분이다.

이 지역의 도자기가 언제부터 무역품으로 생산되었는지는 아직 밝혀진 바가 없지만, 명의 해금정책으로 명의 도자기가 해외로 반입되지 못하면서 중국 도자기를 대신하여 씨싸차날라이 및 쑤코타이에서 무역용의 도자기를 제작되어 무역품으로 인근의 필리핀이나 인도네시아 및 원근의 동아시아 및 서아시아 지역으로 반입된 것으로 생각된다. 시기적으로는 명의 해금정책이 본격적으로 실시되는 14세기 후반부터 명의 해금정책이 유명무실화되는 16세기 중엽까지이다.

이러한 무역 도자기는 원대의 강서성 경덕진(江西省 景德鎭)에서 생산된 청화백자나 절강성(浙江省) 용천요청자를 모델로 만들었고 씨싸차날라이와 쑤코타이의 철회백자는 하북성(河北省) 자주요(磁州窯)의 제작기법으로부터 많은 영향을 받게 된다. 무역 도자기로서 씨싸차날라이 도자기는 청자, 철회백자 등이 있고 쑤코타이 도자기는 태토에 백화장을 한후 산화철의 안료를 문양을 그린후 투명유를 발라 구원 철회백자가 대부분이다.

씨싸차날라이(Si Satchanalai) 요지

무역 도자기로서 씨싸차날라이의 도자기를 생산했던 대표적인 요지는 반 코노이(Ban Konoi)에 집중적으로 분포하고 있다. 이 지역의 요지는 요지의 1/2 정도가 땅속에 있고, 나머지 반은 지상에 노출되어 있다. 크기는 3~6m의 소형가마로 판을 쌓아 올려 만든 판축요(版築窯)이다.

이러한 지하식 판축요는 빗물이 들어가는 우기에는 작업이 이루어지지 못하는 등의 약점을 가지고 있고 이후 지상식 판축요 및 지상식연와요(煉瓦窯)으로 이행한다. 그리고 요지의 변천과 더불어 제도(製陶)기법, 굽는 방법, 요도구에서도 변화가 보인다.

T.C.A.P.(Thai Ceramics Archaeological Project)의 연구에 따르면 씨싸차날라이 요지의 굽는 방법은 시대에 따라 도자기의 구연부를 맞대어 굽는 방법, 원형의 도침을 사용하는 방법, 그리고 갑발에 하나의 도자기를 넣어 양질의 도자기를 생산방법으로 변한다. 이러한 굽는 방법의 변화는 생산된 도자기에 반영되어 도자기의 제작시기를 알려주는 표식적인 역할을 한다.

반 코노이(Ban Konoi) 요지에서 제작된 도자기는 토기, 몬도기, 씨싸차날라이 도기 등으로 나눌 수 있다. 사완카로구 도기는 T.C.A.P. 보고서에는 LASW(Later Stoneware)로 부르고 있다.

몬도기는 코노이 요지에서 가장 오랜된 시유도기로 코노이 요지의 최하층에서 보이고 있다.

몬도기는 태토에 철분이 많이 포함되어 담회색이고, 성형한 후, 백화장을 하여 녹색의 회유를 발라 구워졌다. 몬도기의 구연부에는 유약이 발라져 있지 않아 동일한 기형의 구연을 서로 마주보게 해서 구웠던 것으로 생각된다.

이러한 몬도기는 지상식가마로 전환되면서 태토가 흰색으로 바뀌고 양질의 청자유가 발라지게 된다. 그리고 지상식가마로 정착되면서 수출용 도자기인 사완카로크 도자기가 본격적으로 제작되기에 이른다.

코노이 지역의 요지는 대부분이 도굴당한 상태여서 어떤 도자기가 어떤 요지에서 제작되었는지 정확히 추적할 수 없는 상태이지만, 록산나 브라운(R Brown)은 코노이 요지의 상한을 14세기 설정하고 그러한 증거로서 필리핀 탁(Tak)유적에서 출토되는 코노이의 몬도기가 쑤코타이 왕국의 지원하게 제작된 타이 초기무역 도자기일 가능성을 제시하고 있다.

9 씨싸차날라이 요지   10 씨싸차날라이 청자반   11 원대 용천요청자반

나아가 종언시기는 코 크라다트(Ko Kradat Wrecksite) 침몰선으로 부터 중국 가정년제(1522~62)의 명문을 가진 중국청화와 함께 사완카로크의 철회백유도가 출토되어 씨싸차날라이 요지는 16세기 중반까지는 제작된 것으로 여겨진다. 그러나 16세기 말이나 17세기 초의 침몰선에서 사완카로크의 도자기가 출토되지 않아 씨싸차날라이 도자기는 16세기 후반에 생산이 중지된 것으로 판단하고 있다.

씨싸차날라이 요지에서 제작된 도자기는 청자, 철회백자 등이 있다. 청자는 코노이에서 생산되어 씨싸차날라이 전역으로 퍼진 것으로 추정된다. 청자는 반을 선두로 병, 발, 호, 고리가 달린 작은병, 잔등 다양하다.

청자반은 원, 명의 용천요청자의 영향을 받은 것으로 생각된다. 반의 내면에는 용천요청자의 반에서 자주 보이는 초화문이나 어문이 새겨져 있다. 그리고 극히 일부이지만 산화철로 문양을 그린 것도 보인다. 고리가 달린 작은 병은 문양은 거의 없다. 유사한 병이 원대 흑유자에 보여 원대의 도자기를 모델로 씨싸차날라이의 작은 병이 청자로 제작된 것으로 여겨진다. 이밖에 원대 청화백자를 모델로 만든 옥호춘병, 표형병, 연적등 다양한 기종이 제작된다.

씨싸차날라이에서 제작된 철회백자는 합이 대부분을 차지하고 완이나 병 및 동물모양의 연적 등이 일부 제작된다. 합은 아래부분이 둥글고 뚜껑부분은 평평하다. 대부분은 물레로 원형을 만든 다음, 날카로운 도구를 사용하여 각(角)을 만든 것이 대부분이다. 이러한 합은 베트남의 청화백자에도 일부 보이지만 기본적으로 중국 원대의 청화백자를 모델로 만들어진 것으로 생각된다. 합의 이른 시기의 문양은 연잎 등을 섬세하게 사실적으로 시문하였고 점차 생산량이 많아지면서 문양은 형식화되는 경향이 뚜렷해진다.

쑤코타이 요지

　타이의 무역 도자기를 대표하는 쑤코타이 도자기는 최근 인도네시아, 베트남, 필리핀에서 집중적으로 발견되고 있다. 이러한 현상은 타이 남부에서 쑤코타이 등 무역 도자기가 거의 발견되지 않은 상황과 대조를 이루고 있다.

12 원대 흑유자 14세기 중엽

13 씨싸차날라이 흑유병 15세기

　쑤코타이 요는 씨싸차날라이 요지에서 보이는 요의 발전과정을 보이지 않고 양식적으로도 변화를 보이지 않아 단기간에 생산이 이루어진 것으로 여겨진다. 그리고 요의 규모도 작아, 쑤코타이 요는 일정시기에 씨싸차날라이 지상식 요지의 일부가 쑤코타이 요지로 이전한 것으로 여겨지고 있다.

　쑤코타이의 요지는 햇빛에 말린 기와를 사용하여 지상에 만들어졌다. 씨싸차날라이 코노이 요지에서 보이는 지상요와 유사하고 규모는 5~6m로 작다. 요도구로는 원통형의 지주(支柱)와 구울 때 들어붙는 것을 방지하기 위한 5개나 6개의 돌기가 붙어있는 원판의 도침이 있다.

동일한 도침이 씨싸차날라이 코노이 요지 및 중국 남부의 요지에서 보여 쑤코타이의 요지가 씨싸차날라이 요지와 밀접한 관계였고, 중국의 요지 및 요도구로부터 많은 영향을 받은 것으로 생각된다. 이러한 요도구는 씨싸차날라이 요지에서 초기단계에만 사용되었으나 쑤코타이 요지에서는 생산이 이루어졌던 전 기간에 사용되었다.

14 씨싸차날라이 요도구   15 남송시대 요도구

나아가 씨싸차날라이 요지에서는 쑤코타이 도자기가 보이지 않는 반면 쑤코타이 요지에서는 다량의 씨싸차날라이 도자기가 보여 쑤코타이 도자기가 씨싸차날라이 요지에서 기원하고 있다는 것을 알 수 있다.

쑤코타이 요지에서 생산된 도자기는 반, 사발, 병등 다양하다. 대부분의 도자기는 태토로 성형한 다음 백토를 발라 그 위에 산화철의 안료로 물고기나 초화문을 그려 투명한 유약을 발라 구웠다.

물고기가 그려진 타이의 무역 도자기로 유명한 쑤코타이 철회백유도는 씨싸차날라이 요지에서 볼 수 있는 물고기 문양을 모델로 만들어진 것으로 대담하면서 유머스러운 모습은 씨싸차날라이 도자기를 뛰어넘는 미의식을 보이고 있다.

그리고 쑤코타이 도자기는 회색의 태토를 긁어내서 회색이 드러나면서 문양을 만들어 내는 소지기법(搔地技法)을 사용하여 태양문 등을 만들어내고 있다. 소지기법은 씨싸차날라이 요지에서 보이지 않는 기법이지만, 중국 자주요나 한국 분청사기에서 보이고 있어 동아시아의 중국과 한국, 동남아시아의 태국 쑤코타이 요지에서 동일한 기법의 도자기가 출현한 것을 알 수 있어 쑤코타이 도자기는 늦어도 동아시아의 중국과 한국에서 소지기법이 사용된 시기인 15세기 전반에는 이미 철회백자의 생산이 본 궤도에 도달한 것으로 생각된다.

나아가 14~16세기의 동남아시아 침몰선에서 씨싸차날라이와 쑤코타이 도자기가 동시에 보이고 있어 태국의 도자기 무역이 활발했던 시기에는 씨싸차날라이와 쑤코타이 도자기의 동식에 생산이 이루어진 것을 알 수 있다.

이와 같이 타이의 무역 도자기는 타이 인근의 해안에서 침몰된 선박에서 인양된 도자기를 통하여 구체적인 상황이 알려져 요지의 활동시기 및 제품에 대한 추적이 가능하게 되었다.

캄보디아

캄보디아
쁘리아 비히아 사원

박장식

2008년 유네스코 세계문화유산에 등재된 쁘리아 비히아 사원(Prasat Preah Vihear, 산스끄리뜨어로 '신성한 사원'의 의미이며, 태국에서는 카오 프라 위한(Khao Phra Viharn)이라 부른다)은 씨엠립 인근의 앙코르 유적지의 사원과는 달리 산 정상의 긴 경사면을 이용하여 건축되었다는 사실과 최근 태국과의 국경 분쟁으로도 널리 알려져 국제사회의 관심을 끌고 있다. 이곳 당렉(Dangrek) 산맥의 산지 형세가 북쪽인 태국 국경 지대가 낮고 캄보디아 영토인 남쪽이 높은 지형의 모습이어서 국경선과 관련된 논란이 일어날 소지가 많았다.

하지만, 1904년 당시 캄보디아 보호국이었던 프랑스와 시암(현 태국) 간에 분수령을 중심으로 국경선을 확정하는 조약 체결 이후, 1907년 양국 공동 국경선확정위원회가 제작한 지도를 근거로 쁘리아 비히아 사원은 1962년 6월 15일 국제사법재판소에서 캄보디아의 영토에 속하는 것

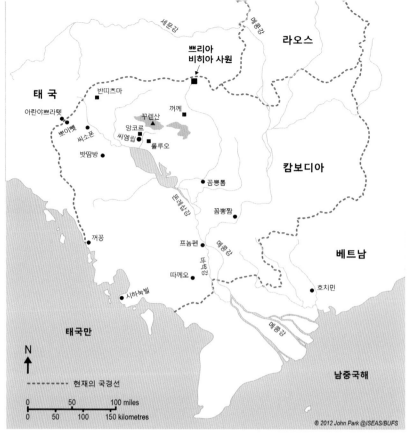

세문강

라오스

쁘리아
비히아 사원

태국

반띠츠마

꺼께

꾸렌산

앙코르

아란야쁘라텟

쁘이뱃

씨소폰

씨엠립

롤루오

빗땀방

꼼뽕톰

캄보디아

꺼꽁

꼼뽕짬

프놈펜

메콩강

따께오

베트남

호치민

시하눅빌

태국만

남중국해

N

⸺⸺⸺ 현재의 국경선

0   50   100 miles

0   50   100   150 kilometres

© 2012 John Park @ISEAS/BUFS

1 쁘리아 비히아 사원의 위치. 이곳을 향하는 도로가 모두 포장이 되어 씨엠립뿐만 아니라 꼼뽕톰에서도 갈 수 있게 되었다.

으로 판결되었다. 그 후 여러 차례 이 지역에 관한 귀속 여부에 관한 논란이 일어났고, 2008년에는 쁘리아 비히아 사원이 유네스코 세계문화유산으로 지정됨에 따라 양국의 군사적 충돌까지 발생하였다. 아직도 산 중턱에는 무장한 캄보디아 군인들의 초소가 구축되어 있다. 현재 무력 분쟁은 그쳤지만, 이 사원의 정상적인 북쪽 출입구인 태국에서의 사원 출입은 금지된 상태이다. 캄보디아 정부는 태국과의 국경 충돌 이후 사원이 위치한 산의 중턱에 도로를 건설하여 캄보디아에서 출입할 수 있도록 만들었다. 또한, 씨엠립 및 깜뽕톰을 거쳐 올 수 있도록 접속도로의 포장도 완료한 상태여서 외국 관광객들도 이곳에 쉽게 접근할 수

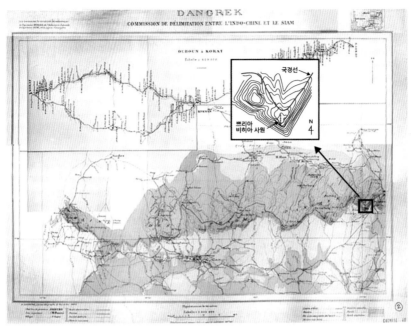

2 1908년 배부된 프랑스 보호령 캄보디아와 시암 간의 국경지도. 이 지도에서는 쁘리아 비히아 사원이 현 태국의 국경에서 제외되어 있는 모습이 분명히 드러난다. 이 지도의 배부 이후에 태국 측에서 그 어떠한 이의제기를 하지 않았다는 점을 들어 국제사법재판소는 쁘리아 비히아 사원의 캄보디아 귀속권을 인정하였다.

있다. 다만, 사원 주변의 숙박시설은 시설이 낙후된 게스트하우스밖에 없어 씨엠립과 깜뽕톰에서 이른 새벽에 출발한다면, 충분한 관람시간을 확보할 수 있다.

당렉 산지의 해발 657m에 건축되어 북남으로 이어진 사원의 총 길이가 800m에 달하는 쁘리아 비히아 사원은 그 가람 배치에 있어서 현 라오스 짬빠삭(Champasak)주의 푸까오(Phu Kao)산 아래에 조성된 왓푸(Wat Phu) 사원과 유사한 점이 많다. 실제 한 비문에서는 왓푸 사원이 조성된 푸까오산에서 채취된 사암을 이곳에 사용했다고 기록하고 있다. 2008년 캄보디아 정부가 태국과의 국경 분쟁 이후 캄보디아 측에서 새로운 도로를 건설하기 이전까지 태국에서만 접근할 수 있었는데, 이제는 도로 포장이 완료되어 씨엠립에서 쁘리아 비히아 사원의 관문 마을인 창끄랑(Chang Krang)까지 210km로 넉넉잡아 3시간 반 정도면 도착할 수 있다. 그곳에서 사원 안내소는 북쪽으로 약 20분 거리에 있다. 쁘리아 비히아 사원으로 올라가기 위해서는 산 밑에 위치한 안내소에서 유료로 제공하는 오토바이(요금이 저렴하지만 위험하다) 혹은 지프(왕복 일인당 20불)를 이용해야 한다. 산비탈을 이용하여 길을 만들어 매우 가파르긴 하지만, 20분 정도면 사원의 첫 고쁘라(gopura, 출입문)의 오른쪽에 도달한다. 태국 국경이 내려다보이는 중턱을 따라 걸어 들어가면 오른쪽으로 캄보디아 국경수비대가 구축한 진지가 있고 방문객을 반갑게 맞이하는 군인들의 모습이 눈에 들어온다.

③ 사원 안내소가 있는 곳에서 바라본 쁘리아 비히아 사원이 자리한 산의 형세. 캄보디아에서는 접근하기 어려우나, 왼쪽의 산비탈을 이용하여 사원 진입로를 건설하고 있으며 아직 도로 포장공사가 진행 중이다.

쁘리아 비히아 사원의 최초의 건축 시기와 관련된 직접적인 기록은 불행히도 찾아볼 수 없지만, 5개의 비문을 통하여 간접적으로 사원 건축의 역사를 엿볼 수 있다. 프랑스 비문학자들의 연구에 의하면, 이 사원은 아마도 야쇼바르만 1세(재위 889~910년)의 시기에 건축이 시작되어 앙코르 시대의 전성기인 수르야바르만 2세(재위 1113~1145년) 때에 끝난 것으로 여겨져, 대략 300년에 걸쳐 개축과 증축이 반복된 것으로 보인다. 그 외에도 이 사원의 건축에 관여한 국왕은 라젠드라바르만 2세(재위 944~968년), 자야바르만 5세(재위 968~1001년), 수르야바르만 1세(재위 1005~1050년), 우다야디뜨야바르만 2세(재위 1050~1066년), 하르샤바르만 2세(재위 1066~1080년) 등이다. 앙코르 시대의 사원 건축은 건축자인 국왕이 사망하거나 폐위되면 공사가 중단되는 것이 일반적이지만, 앙코르 유적지에서 상당히 먼 거리에 위치해 있음에도 불구하고 9세기에서 12세기 이르기까지 지속적으로 건축되었다는 사실은 쁘리아 비히아 사원이 지니는 중요성이 어떠했던가를 짐작할 수 있다. 또한, 앙코르 시대의 거의 모든 사원들이 평지에 건설되었다는 점에서 보면, 해발 657m의 산지에 사원 건축을 시도했다는 것도 앙코르 시대에서 보면 매우 이례적이다.

시바에게 헌정되었다고 여겨지는 쁘리아 비히아 사원에는 실상 비시누와 관련된 부조가 압도적이다. 물론 앙코르 유적지의 사원에서도 힌두교 신들의 혼합적인 모습이 표현되고 있지만, 현재 이곳에서 만나게 되는 비시누에 관한 부조의 양적 측면에서 살펴보면, 시바가 아닌 비시누 사원의 느낌이 들 정도이다. 아마도 이것은 사원의 증개축에 관여했던 국왕들의 힌두신관과 관련된 것으로 보인다. 특히, 12세기 이 사원의 마지막 증축을 담당했던 수르야바르만 2세의 경우 앙코르왓의 건축자로 비시누를 숭배했던 데바라자였다. 중앙신전에서 발견된 한 비문 (K.383)에 따르면, 그의 명을 받은 왕사 디바까라(Divakara)는 12세기 초에 이 사원에 와서 각종 의례와 보시를 베풀고, 사원의 증개축을 행하였다고 한다. 아마도 이 시기에 비시누를 주제로 하는 부조가 대량 제작된 것으로 생각할 수도 있다.

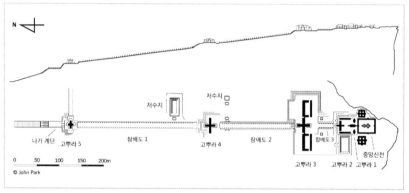

4 쁘리아 비히아 사원의 가람 배치도

위의 가람 배치도를 통해서 살펴보면 쉽게 이해할 수 있듯이 산의 경사는 북저남고의 형태로 이루어져 있어 쁘리아 비히아 사원은 북쪽 입구 돌계단으로부터 남쪽 끝의 중앙신전에 이르기까지 약 800m에 걸쳐 조성되어 있다. 중앙신전이 자리한 남쪽은 가파른 절벽이다. 산의 지형을 이용하여 건축되었기 때문에 높이를 고려하면 4단계로 나눌 수 있고, 사원의 출입구인 고뿌라를 기준으로 하면 5단계로 구분할 수 있다. 일반적으로 태국 영토인 북쪽에서 출입하도록 건축되었지만, 2008년 이후로 이곳은 폐쇄되었고, 캄보디아에서 산중턱에 건설된 도로를 이용하여 고뿌라5의 오른쪽 길을 통해 들어가게 된다. 그래서 현재는 163 개의 돌계단을 생략하고 곧장 고뿌라5의 바로 아래에 있는 나가(Naga)

⑤
나가 계단의 나가의 형상.
나가의 긴 몸이 난간 없이
지면과 붙어있는 양식도 9세기의 것이다.

계단에서 사원 관람이 시작된다. 약 30m 길이의 나가 계단 양쪽에는 머리가 7개인 나가가 북쪽을 향해 서있다. 12세기의 앙코르 유적지의 사원에서는 보통 나가 머리는 등판에 새겨져 있지만, 여기에서는 그 등판이 없다. 앙코르 시대 직전 롤루오(Roluos) 지역의 바꽁(Bakong) 사원의 출입구에서 볼 수 있는 나가 형상으로 아마도 이 계단은 사원 건축의 초기인 9세기에 축조되었을 가능성이 높다.

사원 출입문인 고쁘라 중에서 제일 먼저 마주치는 고쁘라5는 한 눈에 가파르다는 인상을 준다. 계단이 붕괴 직전이어서 나무 계단을 임시로 설치해 두고 있다. 이곳 고쁘라는 동서 길이가 조금 더 긴 십자가형의 구조를 지니고 있지만, 다른 것과 비교할 때 보존 상태가 가장 열악하다. 하지만, 동쪽 문에 장식된 박공벽(pediment)은 사원의 다른 곳에서 찾아볼 수 없는 완벽한 형태로 남아있다는 사실에서 상인방(lintel)과 함께 감상하는 기회를 놓쳐서는 안 된다. 게다가 박공벽의 양쪽 끝에

6 고뿌라5의 동쪽 출입문. 뼈대만 남아있어 불안해 보이지만,
동쪽 출입문의 정면은 온전하게 남아있어 놓쳐선 안 된다.

있는 둥근 형의 마무리 장식과 윗부분의 다이아몬드형의 모티브는 10세
기 후반 앙코르 유적지에 건축된 반띠 스라이(Banteay Srei) 사원의 중
앙신전의 동쪽 고뿌라에서도 볼 수 있는 독특한 양식이다. 또한, 박공
벽의 기본적인 모티브로 여겨지는 부조의 기본 배경으로 사용되는 삼각
형의 화관 문양은 여기 쁘리아 비히아 사원에서만 볼 수 있는 독특한 것
이다. 그러한 점들을 중점으로 살펴보고 앙코르 지역 사원의 부조와 비
교해 보는 것도 흥미로운 크메르 건축예술의 감상법이다.

⑦ 고뿌라5의 동쪽 문의 상인방과 박공벽의 부조. 여기에는 크메르 사원의 상인방에서 흔히 볼 수 있는
험상궂은 형상의 괴물 깔라(Kala)가 화관에 둘러싸인 모습으로 새겨져 있다. 깔라는 해괴한 용모로 인
해 악령이 사원에 들어오는 것을 막는다고 여긴다. 또한, 상인방의 삼각형 문양이 한 눈에 들어온다.

고뿌라를 나서면 눈앞에 참배도1이 길게 펼쳐져 있다. 폭 10m에 길이
275m인 참배도에는 경계석이 양쪽에 줄지어 있고, 포장석이 길 위에

놓여있다. 경계석의 높이는 약 2m로 다른 사원에서 찾아볼 수 없는 상당히 높은 크기이다. 일부 구간에서는 돌출된 암반층을 그대로 이용하여 참배도를 만들었다.

8 참배도1의 모습. 돌출된 암반층과 좌우 양쪽에 경계석이 보인다. 온전한 경계석은 몇 개밖에 보이지 않는다.

긴 참배도를 걸어와 고뿌라4가 보일 즈음, 왼쪽으로 사자상이 지키고 있는 인공저수지(바라이, baray)가 나타난다. 11개의 돌계단이 바라이 안으로 조성되어 수면이 낮아질 경우 바닥으로 내려갈 수 있는 구조를 띠고 있다. 크메르인들의 사원 주변에는 이러한 바라이가 반드시 존재하는데, 이는 힌두교적 우주관의 상징성과 생활용수 공급이라는 양면의 의미를 지니고 있다. 따라서 과거 이곳에는 사원 순례자를 비롯한 관리자 및 사제 등 많은 사람들이 거주했다는 사실을 암시해 준다.

이제 다시 참배도로 돌아오면 앞에는 경사가 매우 급한 지형 위로 고 뿌라4가 등장한다. 고뿌라5의 구조와 유사하지만 규모는 훨씬 크다. 앞에서 본 고뿌라에 비하여 이곳에는 구조물이 제법 남아있어 더 많은 감상거리가 기다리고 있다. 출입구의 상인방과 박공벽에는 거의가 깔라와 그 위에 정체 파악이 불가한 신상이 새겨져 있지만, 눈여겨보아야 할 곳이 두 군데가 있다. 고뿌라4의 동쪽 두 번째 출입구에는 끄리시나 (Krishna)가 머리가 6개인 나가 깔리야(Kaliya)를 진압하는 장면으로 앙코르 유적지의 바푸온(Baphuon) 사원의 부조에도 등장하는 주제이다. 남쪽 중앙 출입구에는 비시누 신화의 하이라이트인 영생의 묘약 만들기 위한 바다 젓기의 장면이 박공벽에, 비시누의 아난따 위의 휴식 (Ananta Shayana) 장면이 상인방에 새겨져 있다.

9 상인방의 사각형 속에 끄리시나가 나가 깔리야를 제압하는 장면이 오른쪽에 확대되어 있다. 출입문의 박공벽에 직사각형의 홈이 보이는데, 그것은 지붕을 만들기 위한 버팀목의 자리이다. 이것으로 당시에 고뿌라의 지붕은 사암이 아닌 목재로 제작되었다는 사실이 드러난다.

🔟 박공벽의 장면은 너무나 유명한 비시누 신화의 중심 주제로 앙코르왓 사원의 동남쪽 대형 부조의 주제이기도 하며, 여러 사원의 부조에서도 만날 수 있다. 사진에는 드러나 있지 않지만 배경에 붉은색이 채색되어 있어 원래의 상태를 짐작할 수 있다. 아래 상인방의 비시누 아난따 휴식 장면에는 비시누의 배꼽 위로 연꽃 줄기와 브라흐마의 탄생이 조그맣게 새겨져 있다.

　고뿌라4를 벗어나면 다시 참배도가 나타난다. 참배도2의 시작 지점 왼쪽으로 50m 정도의 거리에 작은 바라이가 있고, 약 150m 길이의 참배도를 걸어 올라가면 고뿌라3이 있다. 고뿌라3은 정방형의 십자가 구조이지만, 동서쪽에 직사각형의 부속 건물이 있다. 앞의 양쪽에는 U자형의 독특한 구조로 이루어져있다. 부속 건물이 많아서인지 고뿌라3은 쁘리아 비히아 사원의 고뿌라 중에서 가장 큰 규모를 지니고 있다. 이곳은 아마도 의례를 위해 찾는 사제나 왕실 방문객을 위한 접대실로 사용되었을 가능성이 많다.

11 참배도2에서 바라본 고뿌라3의 전경. 이곳의 지붕은 목재로 만들어진 탓에 겉보기에는 건물의 손상이 심한 것처럼 보인다.

12 고뿌라3의 북쪽 두 번째 출입구 정면. 박공벽에는 소떼를 보호하기 위한 고바르다나 산을 들어 올리는 끄리시나가, 상인방에는 가루다를 탄 비시누가 등장한다.

13 남쪽 두 번째 출입구의 정면의 박공벽. 시바의 승용동물(바하나)인 난디(황소) 위에 시바와 그의 아내 우마가 타고 있는 장면으로 앙코르 시대의 사원에서 시바를 주제로 하는 모티브 (Umamaheshvara)로 널리 알려져 있다.

출입구의 박공벽과 상인방에는 어김없이 각종 주제의 부조가 새겨져 있다. 특히, 중앙 십자가형 건물의 출입구에는 비시누와 그의 화신인 끄리시나(Krishna)와 시바 및 라마(Rama)를 주제로 한 부조가 다채롭게 남아있어 이를 감상하는 묘미를 느낄 수 있다. 쁘리아 비히아 사원이 시바에게 헌정된 것으로 여기지만, 이렇게 비시누의 장면이 압도적으로 많이 나타나는 것은 매우 이례적이다. 300년 이상에 걸쳐 다양한 힌두교 신앙을 지닌 앙코르 시대의 국왕이 증축과 개축을 거듭했다는 사실로 설명될 수 있겠지만, 무엇보다 부조에 사용되는 힌두신화의 모티브는 비시누의 것이 압도적으로 많다는 사실도 무시할 수 없다. 이러한 점은 앙코르톰의 중앙에 위치한 불교 사원인 바욘 사원의 부조에서 힌두교 신화의 장면이 적잖게 등장하는 것에서도 확인할 수 있다. 실제 이런 종교적 혼합주의의 양상은 동남아에서는 보편적 현상이기도 하다.

14 남쪽 첫 출입구의 정면의 부조. 박공벽에는 깔라 위에 물소를 타고 있는 야마(Yama)의 모습이 보이는데, 그는 죽음을 관장하며 남쪽 방위의 수호신이기도 하다. 아래쪽 상인방에는 깔라 위에 삼위의 신들이 앉아있는데, 중앙은 라마이고 그 오른쪽에 그의 아내 시따이며, 왼쪽에는 라마의 동생인 락시마나로 라마야나의 장면이다.

다양한 부조가 남아있는 고뿌라3의 감상을 마치고 다시 남쪽으로 발길을 돌리면, 마지막 참배도가 나온다. 참배도3은 34m에 불과한 짧은 길이이지만, 사원 입구의 고뿌라5 앞과 마찬가지로 나가가 양쪽에 정렬되어 있는 나가 참배도이다. 크메르 건축에 있어서 참배도에 나가가 등장한다면 이는 신성한 건물이 존재한다는 상징적 의미를 지니고 있다.

15 고뿌라2에 올라가 고뿌라3으로 바라본 장면. 사자상의 앞으로 참배도3의 양쪽에 경계석과 나가
의 모습이 보인다.

16 참배도3에서 올려다 본 고뿌라2의 전경. 그곳을 올라가 곧장 연결되어 있는 고뿌라을 통과하면
중앙신전이 나타난다. 고뿌라2의 북쪽 출입구가 보이지만, 정면의 상인방과 박공벽의 부조는 붕
괴되어 아쉽게도 볼 수가 없다.

이제 이곳을 지나면 최종적으로 꺼께(Koh Ker)의 중심 사원인 쁘라삿톰(Prasat Thom)과 유사한 구조를 지닌 중앙신전이 나온다. 이곳은 전반부에 고쁘라2가 배치되고 후반부에 고쁘라1을 통해 들어갈 수 있는 중앙신전의 구조로 이루어져 있다. 쁘리아 비히아 사원의 가장 핵심적인 중앙신전은 산의 가장 높은 곳에 자리하며, 그곳은 바로 남쪽 절벽의 아찔한 끝부분이다. 캄보디아 북부지역을 한 눈에 관망할 수 있는 곳이기도 하다.

⑰ 고쁘라2의 왼쪽을 돌아 동쪽 부분에 이르면, 바로 깎아지른 벼랑 끝이다. 깜짝 놀랄 정도로 그 거리가 짧아 조심해야 한다. 하지만, 그 두려움도 잠시뿐 눈앞에 펼쳐지는 캄보디아 북부 삼림지대의 웅장한 풍경에 감탄사가 절로 나온다. 이곳 아래쪽의 암반층의 사암을 채취하여 사원 건축에 사용했다고 한다.

고쁘라2에는 중앙의 십자가형 구조물 양쪽으로 L자형의 건물이 나란히 붙어있다. 이 역시 중앙신전의 참배를 위해 찾아온 방문객들을 위한 공간이었을 것이다. 고뿌라2의 남쪽 출입구의 양 기둥에는 수르야바르만 1세의 시대의 것인 비문이 새겨져 있지만, 쁘리아 비히아 사원 건축과 직접적인 관련이 있는 내용은 아니라고 한다.

18 공중에서 촬영한 쁘리아 비히아 사원의 고뿌라3(뒷쪽)과 고뿌라2와 1이 붙어 있는 중앙신전(맨앞). 고뿌라3의 양쪽에 U자형 건물이 길게 늘어서 있으며, 중앙신전 안에는 붕괴된 흔적이 보인다.

안타깝게도 중앙신전 주변 출입문의 박공벽과 상인방의 부조는 손상이 심하여 판독하기 어려운 상태이다. 또한, 일부를 제외하고는 깔라의 장면이 압도적으로 많다. 고뿌라2의 북쪽 출입구를 통해 들어가 안쪽 뜰로 나오면 여기 저기 사암 조각들이 흩어져 있다. 그 중에서 눈여겨 볼만한 것은 앙코르 지역 사원에서는 찾아볼 수 없는 매우 독특한 모티브를 사용한 비시누 부조 조각이다. 비시누의 네 손이 선명하게 보이며, 그의 둘레에는 천상의 무희인 압사라가 춤추고 있는 장면이다.

19 고뿌라2의 남쪽 출입구를 나오면 왼쪽 뜰에 놓여있는 비시누 부조. 형태로 보아 박공벽의 윗부분에서 떨어져 나온 것으로 보이며, 비시누 위에는 깔라와 신상이 새겨져 있다.

20 중앙신전을 둘러싸고 있는 회랑의 동쪽 출입구. 상인방에는 깔라 위에 코끼리(아이라바따)를 탄 인드라가 있다. 오른쪽 사각형 안은 상인방의 인드라 모습을 확대한 것.

중앙신전에 들어가기 위해서는 남북으로 긴 홀(hall)의 구조로 이루어진 고뿌라1을 통과해야 한다. 물론, 중앙탑을 중심으로 그 둘레가 회랑의 구조이기 때문에 북쪽의 고뿌라1 외에도 회랑을 통하여 동서 방향에서도 들어갈 수 있다. 회랑의 동쪽 출입구 박공벽에는 동쪽 방위의 수호신인 인드라가 새겨져 있다. 일반적으로 고뿌라2에서 직접 중앙신전에 들어가기보다 고뿌라 입구에서 왼쪽으로 돌아 벼랑 끝을 따라 이곳 중앙신전의 회랑 동쪽에서 안으로 진입하는 것도 감상의 묘미를 즐길 수 있다.

고뿌라1을 통하든 동서쪽의 회랑 출입구로 들어가는 마침내 쁘리아 비히아 사원의 최종 목적지인 중앙신전에 도착한다. 안으로 들어가면 멋진 중앙탑을 볼 수 있을 것이라는 기대와는 달리 무너진, 그것도 완전히 붕괴된 중앙탑의 무거운 잔해들이 엄청나게 쌓여있는 모습이 기다리고 있다. 다행히 중앙탑의 부속 건물 만다빠(mandapa)의 입구 부분은 남아있다. 중앙신전의 모습은 붕괴되어 전체적인 구조를 파악하기 어려우나 만다빠가 부속하는 것으로 짐작컨대, 앙코르 지역의 반띠삼레(Banteay Samre) 사원의 중앙탑과 같은 인도 남부의 전형적인 힌두 사원 형식이었을 가능성이 높다. 반띠삼레 사원(비시누 사원)도 쁘리아 비히아 사원의 대대적인 증축이 이루어진 수르야바르만 2세의 시대에 건축된 것이다.

21 중앙신전의 내부 전경. 왼쪽의 중앙탑은 완전히 붕괴되었고, 오른쪽 만다빠의 일부만 남아있다.

쁘리아 비히아 사원이 시바에게 헌정된 사원으로 규정하는 것은 바로
이곳 중앙신전 만다빠의 출입구의 상인방 부조 때문이다. 물론, 비문에
따르면, 시바 사원이라는 사실이 언급되기도 하지만, 만다빠의 상인방
에는 확실한 시바의 모습이 나타난다. 이곳의 시바는 그 유명한 춤추는
시바(nataraja)의 모티브이다. 팔은 10개로 보이며, 그 중 맨 위의 양
손은 머리 위로 맞잡고 있다. 앙코르 지역에서 시바에게 헌정된 사원의
경우 신전 안에는 링가가 모셔져 있거나 신전의 앞뜰에는 그의 승용동
물인 난디가 반드시 존재한다. 아마도 여기에서도 그러한 구성은 짐작
되지만, 중앙탑의 붕괴로 인하여 그런 장면을 상상할 수밖에 없다.

23 만다빠의 상인방의 춤추는 시바의 부조. 깔라 위에 코끼리 머리에 시바가 서있는 모습이다.

중앙신전 주위의 고뿌라 부조들은 대개가 심하게 손상된 흔적이 엿보인다. 남아있는 부조들의 보존 상태는 극히 열악하다. 그래서 중앙신전의 회랑 북쪽 출입구 상인방의 끄리시나와 깔리야의 장면(고뿌라 4에서도 보았던 것) 외에는 특별히 언급할 만한 것이 없다. 중앙탑의 붕괴 잔해물과 만다빠를 살피고, 아무런 장식이 없는 회랑을 살펴보는 것으로 중앙신전의 관람은 의외로 기대했던 것과 달리 시시하게 끝나게 된다. 다만, 벼랑 끝에서 탁 트인 산 밑의 풍경을 잠시 즐기는 것으로 아쉬운 맘을 달래야 할지도 모를 일이다. 그러나 실제로 800m의 긴 사원을 살펴본 것으로 이곳의 매력은 충분한 것 같다. 고뿌라의 곳곳에는 여전히 볼거리가 많이 있지만, 시간 부족으로 다 살펴볼 여유가 없다는 것이 더 아쉬웠다.

하산하는 길에 캄보디아 수비대의 진지와 군인들을 다시 마주한다. 사실 사원의 몇 군데에는 총알 자국이 있기도 해서 국경 분쟁의 상처가 아직 아물지 않았다는 긴장감이 내내 느껴졌다. 태국 측의 출입이 중단된 이후 이곳은 사실상 적막한 분위기에 놓여있다. 국제사법재판소가 쁘리아 비히아 사원의 귀속 문제만을 결정했다는 해석으로 태국은 그 이후 새로운 국경선을 그은 지도를 작성했다. 캄보디아에서 올라온 길은 이 지도에 따르면 태국 영토가 아닌가? 하지만, 국제사법재판소의 결정은 쁘리아 비히아 사원의 귀속뿐만 아니라 묵시적으로 1907년 지도의 국경선을 인정하고 있다고 국제사회는 여기는 것 같다. 이 사원이 지니는 엄청난 문화적 나아가 경제적 가치를 생각하여 양국 간의 갈등이 지혜롭게 해결되어 누구나 쉽게 찾아볼 수 있는 시간이 빨리 다가오길 기대한다.

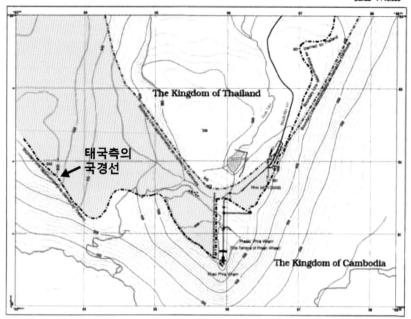

KHAO PHRA VIHARN

(The Temple of Preah Vihear)

SCALE 1 : 15,000

The Kingdom of Thailand

**태국측의
국경선**

The Kingdom of Cambodia

24 1962년 국제사법재판소의 판결 이후, 태국 측이 일방적으로 분수령을 기준으로 쁘리아 비히아 사원만을 제외하고 새롭게 확정한 국경선이 그려진 태국의 지도

이글은 「수완나부미」 제3권 제2호에 게재된 게재된 글을 수정·보완한 것이다.

베트남

베트남 영화와
당녓밍 감독

배양수

베트남에 최초로 영화가 도입된 것은 프랑스 식민지 시대인 1898년 이후라고 할 수 있는데, 초기에는 베트남에 거주하는 프랑스인과 프랑스 군인들에게만 제한적으로 상영되었다고 한다. 상업 목적의 극장이 설립된 것은 1920년 이후이며, 1930년대 후반에는 베트남인에 의해서 영화가 제작되기도 했다. 1945년 9월 2일 독립을 선언한 북베트남 정부에는 35mm 촬영기가 단 한 대 있었는데, 그 촬영기는 필름 한 통에 7미터밖에는 넣을 수 없는 거의 사진기 수준이었다고 한다.

1953년이 되어서 국영영화사가 설립되었고, 1958년 가을에 베트남 최초의 극영화 〈우리들의 강 Chung một dòng sông〉이 홍응이(Hồng Nghi)와 히에우전(Hiếu Dân) 감독에 의해 촬영에 들어가서 1959년 7월 20일 개봉되어 대단한 반응을 불러 일으켰다고 한다. 이후 베트남은 거의 대부분 제국주의를 비판하거나 사회주의의 우월성을 강조하는 선전성이 강한 영화를 만들어 냈다.

베트남이 도이머이 정책을 천명한 이후로 베트남 영화계는 독립채산 제라는 새로운 도전에 직면하게 되었다. 이전의 영화는 모두 국가의 지원으로 국영 영화사에 의해서 제작되었지만 이제는 민간 영화사의 활동을 허용하면서 민간 자본에 의한 상업성을 목적으로 한 영화가 제작되고 있다. 물론 매년 몇 편의 영화는 국가의 지원을 받아 제작되고 있다.

지난 반세기 동안의 베트남 영화사에서 나름대로 관객으로부터 큰 호응을 받은 작품과 감독이 나타났다. 그 중에서도 가장 많은 히트작을 내고 외국에도 널리 알려진 영화감독으로 당녓밍(Đặng Nhật Minh)씨가 있다.

그는 2009년 제 14회 부산국제영화제에 〈전장 속의 일기〉라는 작품을 출품하였다. 이 작품의 원제는 〈태우지 마라(Don't burn)〉이다. 이 영화는 당투이쩜이라는 북베트남의 여군의관이 1968년부터 1970년 희생되기 전까지 전쟁터에서 쓴 일기를 영화로 만든 것이다. 20대 후반의 젊은 여성이 부상자들을 치료하면서 겪는 아픔과 부모형제에 대한 그리움, 사랑에의 갈망을 진솔하게 일기로 기록한 것이다. 이 일기는 전쟁터에서 미군의 통역을 맡았던 남베트남 군인이 획득하여 미군에게 전달한 것으로, 그 남베트남 통역병이 그 일기를 미군인 프레드릭 화이트 허스트에게 건네주면서 "태우지 마시오. 이미 그 속에는 불이 있습니다"라고 말했다고 한다. 당시 미군의 노획물 처리 원칙은 전쟁과 관련이 있는 것들은 회수하고, 나머지는 소각하는 것이었다고 한다. 일기를 건네받은 화이트허스트는 베트남 통역병의 말 때문에 그 일기를 보관해서 미국으로 가지고 갔던 것이다. 그리고 그의

1
베사모 만찬장의 당녓밍 감독(오른쪽)

제수씨(베트남인)을 통해 내용을 번역하게 하였고, 감동을 받아 일기를 쓴 당투이쩜의 가족을 찾았고, 2005년 이 일기가 베트남에 소개되었다.

그런 연유로 영화제목을 〈태우지 마라〉로 정했다고 당녓밍 감독이 말했다. 이 영화는 촬영은 베트남과 미국에서 이루어졌고, 음악은 체코 작곡가가 담당하였고 후반작업은 태국에서 마무리되었다고 한다. 이 일기의 원본은 현재 미국 텍사스텍 대학교 베트남센터 도서관에 보관되어 있다. 이 작품으로 당녓밍 감독은 2009년 베트남 영화제에서 금상을 수상하였다.

그는 1938년 베트남 중부, 당시의 수도였던 후에에서 태어났다. 그의 아버지는 프랑스 식민지 시대인 1936년에 하노이 의과대학을 졸업하고, 1943년 일본으로 유학을 떠났다가 당시 북베트남 정부의 근거지였던 서북 산악지대로 비밀리에 귀국하여 활동하다가 집을 떠난 지 7년만에 연락이 되어 가족 상봉이 서부 산악지대에서 이루어졌다고 한다. 그는 어머니와 동생과 함께 걸어서 3달 만에 아버지를 재회할 수 있었다. 열세 살 나이에 3개월 동안 걸었던 기억은 그에게 깊은 인상을 남겼던 것으로 보인다. 그는 70이 넘은 지금도 걷는 것은 자신있다며 웃기도 했다. 그의 아버지는 당시 베트남에서 유일한 말라리아 전문가였고, 당시에 말라리아에 걸린 고위층 지도자를 치료해 준 인연으로 후에 그의 도움을 받게 된다. 그의 어머니는 서북 산악지대에서 병으로, 아버지는 1967년 중부지역에서 말라리아치료법을 연구하다가 미군의 폭격으로 사망했다.

그는 중학생 때 중국 유학생으로 선발되어 중국에서 공부하다가 러시아 통역원 과정으로 선발되어 모스크바에서 18개월 동안 러시아어를 공부하고, 만 19세 때에 귀국하여 문화부에서 통역원으로 근무하게 된다. 그는 다시 중앙 영화 및 배급기관에 배속되어 주로 러시아 영화의 번역을 맡게 되고, 러시아 영화의 번역 활동을 한지 5년 만에 러시아 감독이 실시하는 베트남 최초의 영화인 양성 코스의 영화제작 실습에 러시아 영화감독의 통역을 맡게 되면서 영화와 인연을 맺게 되었다. 이 통역을 끝내고 그는 영화학교에 부탁하여 영화학교에 남게 된다. 그곳에 서도 주로 영화관련 자료를 모으고 번역하는 일을 하면서 영화에 대해 공부하다가 1956년 영화학교 졸업 작품을 만들 때 학생들이 그를 감독으로 추대하여 작품을 만들게 되면서부터 영화인의 길을 가게 된 것이다.

그의 실질적인 극영화 첫 작품은 〈바다의 별들〉이라는 작품으로 베트남 북부 하이퐁 항구에서 무기를 싣고 남쪽으로 운반하는 선원들의 애환을 그린 작품이었다. 1976년에 불가리아에 파견되어 6개월간 감독연수를 받고 귀국한 이후로 명실상부한 영화감독으로서 대우를 받게 되었다. 이후 1983년 그는 자신이 직접 쓴 단편 〈손 안의 읍내〉라는 작품을 영화로 만들어 그해 호찌민시에서 개최된 베트남 영화제에서 최고상인 금연꽃상(Golden lotus prize)을 수상하였다. 이 상을 받고 난 이후로 그는 자신이 직접 시나리오를 써서 영화를 만들겠다는 다짐을 했다고 한다. 앞에 언급한 〈전장 속의 일기〉도 자신이 직접 시나리오를 썼다.

그의 히트작으로 〈시월이 오면〉이란 흑백 영화가 있다. 그는 이 영화가 전쟁을 겪은 자신의 가족, 아니 대부분의 베트남 가족의 애환을 그린 영화라고 했다. 그는 강가의 둑에 있는 식당에서 차를 마시고 있었다. 비가 오는 가운데 저멀리 논에서 사람들이 남루한 차림으로 다가오는 것이 보였다. 가까이 다가왔을 때는 그는 장례행렬이라는 것을 알았다. 네 명이 관을 메고 그 뒤에는 흰 수건을 두른 젊은 여성이 7세쯤 되어 보이는 어린 아이 손을 잡고 따르고 있었다고 한다. 식당에 있던 사람들의 얘기는 그녀의 남편은 군인이었고 이미 희생된 지 오래되었지만 이제야 전사 통보를 받게 되어 사체 없이 장례를 치르고 있다고 했다. 이 광경을 보고 만든 영화가 〈10월이 오면〉이었다.

이 영화의 줄거리는 서남부 전쟁터로 남편을 만나러 갔던 부인이 이미 남편이 죽었다는 것을 알고 낙심하여 집으로 돌아오는 길에 강에 뛰어들어 자살을 하려고 하는데 마침 그것을 지나던 이곳 학교로 새로 부임하던 선생님에 의해 구출되고, 그 부인은 아들을 애타게 기다리는 시아버지를 위해 그 남자 선생님에게 마치 아들인양 가끔 편지를 보내달라고 부탁한다. 아들의 편지를 받았던 시아버지는 편안히 눈을 감는다.

그러나 그 편지가 새로 부임한 선생님이 보낸 편지라는 것이 들통나면서 마을 사람들은 그 부인과 선생님과의 부정한 관계로 의심하게 되고, 결국 선생님은 그 학교에서 쫓겨난다. 그러나 후에 마을 사람들은 모든 정황을 알게 되었고, 새 학기가 시작되는 10월에는 그 선생님이 다시 돌아올 수 있는 것이라는 희망을 갖고 기다린다는 내용이다.

이 영화에는 죽은 남편의 영혼과 부인이 만나는 장면이 나온다. 당넛밍 감독에 따르면 이는 베트남 민담에 많이 나오는 얘기라서 삽입을 했으며, 본인 자신은 이 장면을 아주 중요하게 생각했다고 한다. 그런데 영화사 사장은 이 장면을 삭제하라고 요구했다. 이유는 미신이기 때문이라고 했다. 아주 경직된 사회주의체제에서 미신은 없어져야할 대상이었던 것이다. 감독은 삭제를 반대하고 영화사는 삭제를 요구하고, 합의점을 찾지 못하자 영화사는 개봉 전에 상급기관인 문화부 차관, 장관, 정치국원, 정치국 문화사상 위원장, 결국은 당 총서기 앞에서 까지 상영하게 되었다. 모두 13번의 검열을 통과한 것이다. 감독은 마치 자신이 범죄자로 계속 재판을 받는 느낌이었다고 했다.

그의 술회에 따르면 당시 총서기였던 쯔엉찡이 관저에서 영화를 보고 난 후 여주인공배우에게 다가와서 "정말 안타깝구먼!"이라는 한마디만 했다고 한다. 그 말이 상영해도 된다는 얘기인지 아닌지 판단이 안 섰지만 그 뒤로 영화사 사장은 더 이상 삭제를 요구하지 않아서 일반에게 상영되었고, 아주 큰 호응을 받았다. 그리고 이 영화로 그는 프랑스 정부의 초청으로 1년 동안 파리로 유학을 가게 되었고, 그가 파리에 도착한 지 1달여 후 프랑스 외교부는 프랑스 영화관계자는 물론 외교관들을 초청하여 시사회를 열었다고 한다. 1985년 11월에는 하와이 국제영화제에서 심사위원 특별상을 수상하였다. 또 1999년 제

4회 부산 국제영화제에 출품되었다.

베트남이 개방을 천명한 이후로 가장 큰 반향을 일으킨 영화가 1987년에 나온 〈강 위의 여자 Cô gái trên sông〉이다. 이 영화 역시 부산국제 영화제에서 출품되었었다.

베트남의 고도 후에가 통일되기 전, 후에에서 비밀활동을 하던 북베트남 전사를 응웻이라는 몸을 팔던 창녀가 도와주었고, 둘은 서로 사랑을 약속하게 된다. 후에가 해방되자 응웻은 어렵게 그를 찾았지만 그는 모른척하며 배신한다. 그는 이미 후에 시의 고위 당간부가 되어 있었다. 이에 삶의 희망을 포기한 응웻은 달리는 차에 뛰어들어 자살을 시도하다가 부상을 입고 병원에 입원한다.

한편 신문사 기자로 일하는 리엔은 응웻에 대해서 이미 취재한 경험이 있었다. 그래서 그녀의 자살 소식을 듣고 병원을 찾았다가 자초지종을 취재하여 기사를 썼지만 압력 때문에 신문에 실리지 못한다. 뒤에 리엔은 신문에 기사가 나가지 못하도록 막은 자가 바로 자신의 남편이었으며, 응웻과 사랑을 했던 사람이라는 것을 알게 된다는 내용이다 .

1987년은 베트남이 개방정책을 선언한 직후였기 때문에 시나리오 검열도 어려움 없이 통과되었고, 영화 검열도 쉽게 통과되었다. 그런데 영화가 공개된 후 얼마 되지 않아서 베트남 공산당 고위 간부가 조국전선의 포럼과 제 7대 국회에서 이 영화의 문제점에 대해 지적한 이후로 어려움을 겪게 된다. 그해 베트남 영화제가 중부 다낭시에서 개최되었다. 심사위원들의 투표에서 최고 점수를 받았지만 당 고위층에서 싫어한다는 소문이 퍼지면서 합의점으로 금상이 아닌 은상을 주기로 결정한 것이다. 조직위원회의 그러한 결정을 들은 당녓밍 감독은 시상식에 참석하지 않았다고 한다.

공식적으로 상영금지 처분이 내려지지 않았지만 이 영화는 영화제를 끝으로 베트남에서 상영되지 못했지만 독일, 일본, 영국, 미국 등에서 수입해 갔다. 그리고 2000년 4월 유럽텔레비전은 베트남 통일 25주년을 기념하여 베트남 영화로는 유일하게 〈강 위의 여자〉를 방송했다.

그런 가운데서 1994년 영국 4채널 텔레비전의 지원으로 〈귀환 Trở về〉이란 영화를 제작했고, 이 작품은 시드니에서 개최된 아시아 태평양 영화제에서 특별상을 수상했다. 그러나 이 영화는 베트남 극장에서는 상영되지 못했다. 당시 베트남 극장은 필름영화가 아닌 비디오 영화를 상영하고 있었기 때문이었다. 그러나 후에 베트남 텔레비전을 통해서 방송됨으로써 베트남인들도 볼 수 있었다.

1995년에는 일본 NHK TV 의 지원으로 〈향수Thương nhớ đồng quê〉라는 영화를 제작하였다. NHK 의 적극적인 지원으로 이 영화는 후반작업이 일본에서 이루어졌다. 이 영화는 도이머이 이후 가장 두드러진 작품들을 쏟아낸 소설가 응웬후이티엡의 단편을 각색한 것이었다. 줄거리는 베트남 북부 농촌에서 어머니와 형수를 모시고 사는 열일곱 살 난 소년 넘이 성장하면서 겪는 사랑과 갈등을 그렸다. 형이 도시로 가서 일하느라 집안일을 돌보며 외롭게 사는 형수 응으, 도시로 갔다가 귀향한 도시화된 처녀 꾸엔과 넘이 가까워지면서 시동생을 시동생 이상으로 생각했던 형수가 겪는 아픔을 시동생인 넘이 깨닫게 된다는 내용이다.

1996년 베트남 영화제에서 관객을 상대로 한 여론 조사에서, 재미있다, 보통이다, 재미없다의 3가지 중에서 고르도록 했는데, 응답자의

78.6% 가 재미있다고 답했다. 그리고 많은 베트남 작가, 평론가들로부터 칭찬을 받았다. 그런데 일부에서 베트남의 변화된 농촌현실을 반영하지 못하고 왜곡했다면 비판을 하기도 했다. 그후 베트남 공산당 문화사상 위원회는 중앙과 하노이시의 신문사 편집장을 들을 불러 이 영화를 보게 했다. 영화가 끝난 후 많은 사람들이 왜 이영화가 비판을 받았는지 이해하지 못했다고 했다. 이 작품은 세계 60개 이상의 영화제에 출품되었다. 당넛밍 감독은 이때가 "마치 자신이 차에 치였지만 아무말도 못하고 툭툭 털면서 일어나 다시 걸어가는 느낌"이었다고 자신의 억울했던 심정을 토로했다.

1996년에는 〈1946년 겨울 – 하노이〉라는 호찌민의 일대기를 담은 영화를 제작하여 토론토에서 개최된 영화제에 출품하였다. 이 작품은 1999년 후에에서 개최된 베트남 영화제에서 은상을 수상하였다. 200년 8월에는 〈구아바의 계절〉이란 영화를 파리에서 후반작업을 마치고 바로 스위스 로카르노 영화제에 출품하였다. 이 작품으로 2001년 베트남 영화제에서 그에게는 세 번째인 금상을 받았다. 이 작품은 로카르노 영화제에서 국제영화클럽의 돈키호테상, 오슬로 영화제 비평가협회 특별상, 나무르 영화제 특별상 등 여러 상을 수상하였다.

그의 사람들의 삶보다 더 영화적인 것은 없다고 강조한다. 그리고 그 삶은 항상 사회, 국가의 운명과 유리될 수 없기 때문에 그의 영화에서는 개인의 삶을 그린다고 해도 항상 그 사회의 문제와 직결된다고 말한다. 따라서 그의 영화는 전형적인 베트남의 보통 사람들(한 두 작품만을 제외하고)의 삶을 보여주었고, 이는 세계의 다른 사람들에게도 공감을 불러 일으켰던 것으로 보인다. 즉 외국인들이 자기들과는 많이 다를 것이라고 생각했던 베트남인들의 모습에서 비록 문화는 다를지라도 인간이 갖고 있는 기본 심성에 대해서 공감하게 되었다는 것이다.

2 영화 〈10월이 오면〉의 한 장면

그는 베트남 영화감독 중에서 가장 널리 알려진 영화감독이기도 하고 가장 많은 상을 수상한 감독이기도 하다. 그는 많은 작품을 만들지는 않았지만 1980년대 이후 제작된 그의 영화는 대부분 국내외에서 큰 반향을 불러 일으켰고, 베트남 영화를 국제 무대에 알리는데 큰 공헌을 했다고 할 수 있다. 부산 국제영화제에만도 그의 작품은 〈향수〉, 〈10월이 오면〉, 〈구아바의 계절〉, 〈강 위의 여자〉, 〈전장의 일기〉 등 5편이 소개되었다. 또한 그는 한국의 김기덕 감독과 박찬호 감독을 가장 좋아하며, 그들의 작품에 대해서 높이 평가하고 있었다.

독창적인 짜잉썬마이: 베트남 옻칠 회화

배양수

  베트남이 오랜 동안 닫혀있던 문호를 개방하면서, 수교 이전부터 일부 한국의 미술상들이 베트남을 오가며 베트남 미술품을 국내에 소개하기 시작하면서 베트남 미술에 대한 관심이 꾸준히 증가하고 있다. 서울은 물론 지방에서도 베트남 회화 전시회가 여러 차례 열렸었다.

  그런데 이러한 전시회는 대부분 유화나 수채화 전시회였다. 그런데 베트남은 회화분야에서 아주 독특한 장르를 만들어 냈는데, 그것은 옻칠을 이용한 회화작품이다. 베트남에서 현대 회화의 시작은 1925년 베트남 회화의 선구자였던 남썬(Nam Son: 1890~1973)이 프랑스 미술대학 교수의 지원으로 인도차이나미술전문대학을 설립하면서부터라고 할 수 있다. 이 대학 안에는 베트남 전통 옻칠공예를 연구하는 과정이 있었고, 이곳에서 베트남 옻칠 그림이 만들어지게 된 것이다.

  남썬은 1931년부터 1935년까지 파리에서 개최된 미술 전시회에서 연속 수상을 하기도 했고, 1943년에는 일본에서도 상을 받았다. 그는 교수로서 많은 재능 있는 후학을 양성하여 베트남 현대 회화를 확립한 사람으로 평가받고 있다. 그는 "옻칠공예(회화)가 중국, 한국, 일본에도 있지만 베트남만의 독창적인 것을 찾아야 한다"고 주장하며 후학들을 독려하였고, 마침내 독특한 베트남의 옻칠을 이용한 회화를 창조해냈다.

베트남의 옻칠 회화는 짜잉썬마이(tranh son mai)라고 하는데, '짜잉'은 그림을, '썬'은 칠(페인팅), '마이'는 연마하다, 갈다는 뜻이며 직역하면 '옻칠을 연마한 그림'이라고 할 수 있다.

베트남의 옻칠은 전통적으로 금속이나 목공 도장재로 널리 사용되

1 옻칠 회화의 초기 작품으로 붉은색과 노란색이 주류를 이루고 있다.

었고, 특히 사찰이나 궁전 등 고급 건축물에 사용되었고, 불상이나 제사용품 등은 물론 바구니 같은 일상용품에도 사용되었다. 주로 붉은색 계통이나 노란색 계통의 칠을 사용하여 화려하게 표현하는 것이 특징이었다. 이러한 옻칠 기술은 정확한 출현 시기를 알 수 없으나 아주 오래 전부터 사용되었고, 칠기를 전문적으로 생산하는 마을이나 거리가, 비록 부침은 있었다고 하지만 여전히 명맥을 유지하고 있다. 현재도 베트남 옻칠 공예품은 외국 관광객들 특히 서양 관광객으로부터 호평을 받는 상품이다.

옻칠 그림에서 가장 중요한 것은 우선적으로 옻나무의 진인데, 옻나무 껍질에 상처를 내면 유회백색의 수지가 나온다. 이것이 공기와 접촉하면 흑색으로 변하고, 다시 이것을 장기간 보관하면 수분과 고무질이 가라앉고 옻칠이 상부에 고이는데, 윗부분에 있는 가장 맑은 것이 최상품이며 투명도가 떨어지는 것은 저급이다. 상급품은 귀한 목재의 도료로 사용되고 저급품은 배나 일상 용기 등의 도료로 사용되었다.

베트남에서 알아주는 옻나무 진은 하노이 서북쪽에 위치한 푸터에서 생산되는 것을 최고급으로 여긴다. 근래에 들어 남부지역에서 옻나무 재배에 성공하였지만 품질은 푸터(Phu Tho) 것만 못하다고 한다.

옻나무 진을 가공하는 것은 처음 채취한 수지(생칠)를 용기에 넣고 저어 상온 보관하면 검은색으로 변한다. 이러한 과정은 탈수와 산화 과정이라고 할 수 있다. 이것을 다시 정제하여 최종 제품을 얻게 되는데, 이것은 도료뿐만 아니라 금, 은, 주석 등의 접착제로도 사용한다고 한다.

색깔은 다양한 종류의 붉은색과 파란색 안료를 섞어서 만들고, 그림

에 입체감을 넣는 동시에 색을 표현하기 위하여 금, 은, 주석과 조개껍질, 계란껍질 등도 사용한다. 예를 들어, 흰색을 표현하고자 할 때는 계란껍질을 사용하고, 조개껍질도 그것이 나타내는 색깔을 표현하면서 입체감을 주는데 사용된다.

옻칠 회화가 탄생된 것은 우연이었다. 인도차이나 미술전문대에서 베트남 전통 옻칠을 공부하던 학생들이 공예품에 옻칠 연습하면서 옻칠이 잘못된 부분은 말렸다가 다시 칠하는 일을 반복하게 되었고, 그러나 보니 옻칠이 너무 두꺼워지고 울퉁불퉁해지게 되었다. 이것을 바로 잡기 위해 표면을 갈아내게 되었는데, 표면을 갈다보니 그 옻칠 뒤에 숨겨진 신비한 그림이 나오는 것을 발견한 것이 베트남 옻칠 그림의 시작이 된 것이다.

베트남의 전통 옻칠은 얇게 칠하고 광택을 내는 것이었는데 비해, 옻칠 그림은 여러 번 두껍게 칠하고 연마를 통해서 필요한 그림을 얻는 방식이었다. 전통 옻칠의 연습과정에서 새롭고 독특한 베트남의 옻칠 그림이 탄생한 것이다.

그림을 그리고 다시 습도가 높은 창고에서 말리고 또 다시 그 위에 그림을 그리고 다시 말리고 그리는 과정을 반복한 다음, 연마하기 때문에 갈아낸 뒤에 어떤 그림이 나올지를 예상하는 것도 어려웠다. 또한 연마 기술 역시 어려운 작업이다. 너무 많이 갈아도 안 되고 작가가 표현하고자 하는 만큼만 갈아내야 하기 때문에 많은 공이 들어가는 작업이라고 할 수 있다.

이러한 옻칠 그림을 처음 시작한 화가들로는 쩐꽝쩐, 응웬캉, 쩐반껀, 응웬자찌 등이 있다. 이러한 초기의 화가들은 옻칠 그림을 그릴 때 두껍게 옻칠을 한 다음에 연마를 통해서 그림이 나타나도록 한 후 광택을 냈다. 이렇게 그린 그림은 얇게 칠하고 광택을 내지 않은 그림과는 확연하게 차이가 났으며, 이러한 방식으로 과연 사실적인 그림을 만들어낼 수 있는지에 대해서 고민하고 그 방법을 찾기 위한 노력을 멈추지 않았다. 그러한 노력의 결과로 1930년대 후반에서 1940년대 중반 사이에 베트남 옻칠 그림은 여러 화가들에 의해 사실적인 그림을 그려내게 되었고, 이는 베트남 회화사에서 중요한 이정표가 되었다.

초기의 베트남 옻칠 그림이 흑백이나 붉은색 계통을 많이 이용했다면 1940년대 중반에서 50년대 중반에 이르면 녹색을 사용하여 산과 숲을 그려내는 성과가 나타났다고 할 수 있다. 초기에는 천연 안료의 한계로 인해 다양한 색을 표현할 수 없었으나 여러 하가들의 노력을 색깔이 더욱 풍부하게 되었다. 색깔의 다양함과 더불어 또한 작품 수도 늘어났다. 그러나 내용면에서는 프랑스와의 전쟁과 관련된 내용을 소재로 삼는 정치적 선전성이 강한 작품들이 나오게 된다.

3 응웬짜지의 대표적 그림

1950년대 후반부터 1960년대 초반까지 작품 수에서는 물론 내용면에서도 다양하게 발전된 시기라고 할 수 있다. 대부분 사회주의 리얼리즘의 영향을 받은 작품들로, 베트남 농촌이나 명승지의 모습 등 베트남 현실을 그린 작품과 전쟁에 나간 용감한 여성의 모습, 행군하는 군인의 모습 등과 같은 선정용 작품들이 주조를 이루고 있다. 이후 미국과의 전쟁 기간 동안에는 좀 침체된 듯 보였고, 이후 개혁정책을 표방한

1980년대 후반부터 옻칠 그림의 활동이 활발해졌다.

베트남 옻칠 그림은 베트남의 옻나무 진을 이용해서 베트남의 민족성을 잘 나타낸 베트남적인 현대 회화의 한 장르로서 확실한 자리매김을 하고 있고, 이를 바탕으로 국제적으로도 명성을 얻어가고 있다.

4 응웬캉의 대표작

이글은 「수완나부미」 제1권 제1호에 게재된 게재된 글을 수정·보완한 것이다.

인 도네시아

Indonesia

인도네시아
중부자바의 미술을 찾아서

고정은

인도네시아는 적도를 중심으로 동서로 길게 늘어선 수많은 섬으로 이루어진 나라로, 불교와 힌두교의 미술작품과 유적들은 주로 자바섬 외에 서부 쪽의 수마뜨라, 발리, 깔리만딴 등에 집중해 있다. 그 중에서도 자바섬은 시대를 불문하고 조형활동이 활발히 이루어진 곳이다. 자바섬의 중앙에는 약 3천미터 정도의 화산이 연결되어 있고, 그 남북으로는 화산성 토양으로 이루어진 비옥한 토지가 펼쳐져 있어서 예부터 이 지역에 생활터전이 마련되어 있었음을 알 수 있고, 특히 구석기시대 유적과 유물이 출토된 점과, 현재 인도네시아의 총인구의 절반 이상이 바로이 자바섬에 집중하고 있다는 점도 이를 뒷받침하고 있다.

인도네시아의 경우, 대략 8세기부터 10세기 전반까지는 정치와 문화의 중심이 자바섬의 중부에 있었고, 그 이후 이슬람문화가 서서히 세력을 확장함에 따라 16세기 전반까지는 자바섬의 동부가 그 중심이 되었다고 볼 수 있다. 인도네시아 문화의 전성기는 대체로 초기시대(8세기까지), 중부자바기, 동부자바기로 크게 분류된다. 특히 이슬람시대 이전까지의 종교건축, 말하자면, 불교나 힌두교의 사원이나 법당, 승원, 스투파가 안치된 공간, 사당형식의 건물, 목욕장, 왕족의 묘(墓廟) 등 개별적인 것이든 가람 배치 등 종합적인 것이든 모든 것을 찬디(candi)라고 통칭한다. 필자는 2011년 1월에 인도네시아 현지조사를 다녀왔는데, 발리, 족자카르타, 자카르타를 중심으로 불교 및 힌두교 미술작품과 유적지를 연구대상으로 진행했다. 본고에서는 그중에서 중부자바 미술에 해당하는 문화유적지를 대상으로 살펴보고자 한다.

머라삐는 2007년에 이어 2010년에도 화산이 분출되어 현지인들이 큰 피해를 입었던 곳이기도 하다. 필자가 방문했을 때는 정상까지의 등반은 자제하는 분위기였지만, 머리삐 활화산이 바라보이는 곳까지는 입장은 가능하였다. 분출된 화산재가 흘러내려와 마을을 덮친 흔적이 생생히 남아 있었고, 담장과 집터의 흔적이 남아있는 것으로 그곳에 생활터전이 있었음을 짐작하게 했다. 제 아무리 위대한 왕조가 있다한들 위대한 자연의 숨결 앞에서는 한줌의 재가 되어버리는 일도 이곳에서는 가능했음을 보여주는 사례라고 생각되었다.

1 머라삐 활화산. 인도네시아 자바와 족자카르타 사이에 위치.

다음으로 디엥고원은 족자카르타에서 북서쪽으로 약 120km 정도 떨어진 곳에 위치한다. 화산의 분화로 생긴 이 디엥이란 지역은 '신이 사는 곳'이란 의미를 갖고 있으며, 힌두사원유적군 이외에 여러 생태 유적들이 존재하는 곳이다. 'Dieng'이란 이름은 '선조가 사는 곳'을 의미하는 'Di Hyang'이라는 말에서 유래한다. 이 지역은 고고학적 유물뿐만 아니라, 유황, 온천, 호수 등으로도 유명하다.

2

유황이 산재해 있는
디엥고원의 모습.

3

디엥고원에 위치한
일종의 유황온천.

이곳의 힌두사원유적은 힌두교의 한 종파인 시바파의 유적으로만 구성되어 있는데, 여덟 곳 정도의 유적이 거의 완전한 형태로 남아 있다. 사원(찬디)의 각각의 명칭은 와양(그림자연극의 서사시)의 영웅들의 이름에서 유래하지만, 상당히 먼 후대에 붙여진 것들이다. Candi Arjuna, Candi Semar, Candi Srikandi, Candi Puntadewa, Candi Sembadra, Candi Bhima, Candi Dwarawati, Candi Gatutkaca 등 찬디의 명칭은 모두 『마하바라타』의 등장인물로부터 유래한다. 이 외에 찬디의 초석이 남아 있는 곳도 있고, 승려와 사원의 관리인, 방문자를 위해 사용된 pendapas(나무로 만든 숙박처)가 몇몇 남아 있다.

4
비마사원(Candi Bima).
인도네시아 디엥고원.

이처럼 유황이 들끓는 곳을 지나 아르주나 힌두유적군으로 들어가는 입구로 들어서면 찬디 비마의 모습이 보인다. 1기의 건물이 찬디를 이루고 있으며, 하단의 기단부, 가운데 부분의 신사(身舍), 그리고 상단의 옥개(屋蓋)로 구성되어 있다. 여기에 옥개 외벽에 라트나, 신사의 내부에 링가와 요니, 그리고 입구부분에 카라, 마카라 등이 장엄되어 있다.

5 Candi Cetyaki. 인도네시아 디엥고원

6 Candi Cetyaki 내부.

　찬디 비마를 지나 15분쯤 차를 타고 가면 찬디 아르주나가 나타난다. 이 유적군은 서너 기의 독립된 찬디가 존재하며, 찬디 아르주나를 포함해서 이 일대가 하나의 문화공원처럼 되어 있다. 물론 주민들이 농작을 짓고는 있지만, 살아 숨 쉬는 삶의 터전에서 맞이하게 되는 이들 유적이 반갑게만 느껴지는 것은 감출 수 없다.

7 아르주나(Arjuna) 힌두사원군. 인도네시아 디엥고원.

8 먼듯 사원. 중부자바기(8~9세기). 인도네시아 중부자바 마그랑(Magelang).

다음으로 인도네시아 족자카르타에서 두시간 반 정도 걸리는 곳에 동남아시아에서는 매우 드문 고대불교유적지가 존재한다. 바로 찬디 보로부두르! 그런데 찬디 먼듯은 보로부두르의 동쪽 3km에 위치한다. 통상의 찬디가 동쪽 내지 서쪽을 정면으로 하는 것에 비해서, 이 건축은 북서면을 정면으로 하고 있는 점이 특이하다. 또 찬디 먼듯과 보로부두르를 잇는 선상에 찬디 파원이 있다고 알려져 있지만, 찬디 파원도 찬디 먼듯도 동일하게 북서를 정면으로 하고 있다. 일직선상에 늘어서있는 이들의 세 사원을 잇는 참도가 있던 것은 아닐까라고 하지만, 그 추측을 증명하는 고고학적 사실은 확인되지 않았다. 그런데 자바밀교의 교리서인 『산 히안 카마하야 니칸』에 표현된 존상들의 배치와, 보로부두르의 존상의 배치를 대비시켜 보면, 보로부두르의 정면방향을 동쪽이 아니라 북동으로 보는 설이 있다. 나아가 이것과 관련해서 샤일렌드

9
먼듯사원 내부
중앙의 불의상.

라 왕조의 왕도는 보로부두르의 북동, 그리고 찬디 먼듯의 북서방향에서 구하려는 것은 아닐까라는 설도 제시되어 있다. 이 설은 찬디 먼듯이 왜 북서 방향으로 향하고 있는가라는 문제에 대한 하나의 해석을 시사하고 있다. 샤일렌드라 왕조의 왕도의 소재지가 아직 분명하게 밝혀지지 않은 상황에서 흥미로운 가설의 하나라고 할 수 있을 것이다.

10 먼듯사원 내부에서 바라보아 왼쪽의 보살의 좌상.

11 먼듯사원 내부에서 바라보아 오른쪽의 보살 의좌상.

또한 내부에는 본존상과 그 좌우에 보살상으로 추정되는 3기의 대형의 존상이 안치되어 있다. 이들 상에 대해서는 샤일렌드라의 왕이 말레이 반도 중부에 석가와, 연화수, 금강수의 두 보살을 안치한 사당을 건립했다는 명문이 있는 것으로 보아, 이 삼존을 그 명문에 비정할 수도 있을 것이다.

한편, 입구의 내벽에는 4기의 대형 부조가 조성되어 있는데, 좌우에는 천상계의 나무라 일컬어지는 칼파타루(kalpataru) 나무, 그리고 그 안쪽으로 하리티와 판치카상의 모습과, 아이들이 즐겁게 노는 모습이 표현되어 있다.

먼듯사원의 계단측벽 외벽에 표현된 본생도.

찬디 먼듯의 기단 정면에 있는 계단측벽의 외벽에는 부조가 있는 장방형(세로 40~50cm)와 삼각형의 구획을 4단으로 배치하고 있지만, 보수할 때 새로운 석재와 교체된 부분도 있다. 한 화면에 한 이야기의 자타카(본생담)을 묘사하고 있다고 생각되지만, 주제를 확실히 알 수 있는 것은 얼마 되지 않는다. 이 북면의 첫 번째 단 오른쪽은 빨리문『자타카』 제 215화의 '킷찻빠(거북) 본생'이다. 두 마리의 거위가 거북을 먼 곳으로 데려가기 위해서 막대기를 거북에게 물게 하고 막대기의 양 끝을 입으로 물어 하늘을 날아가고 있었다. 그것을 본 아이들이 놀리는 것을 보고 거북이가 대꾸를 하려고 입을 벌리는 순간, 땅에 막대기의 양 끝을 입으로 물어 하늘을 날아가고 있었다. 그것을 본 아이들이 놀리는 것을 보고 거북이가 대꾸를 하려고 입을 벌리는 순간, 땅에 떨어져 숨을 거두었다. 현명한 신하가 이 이야기를 하면서 말 많은 왕을 꾸짖었다는 것이 대강의 이야기로, 이 대신이야말로 현재의 붓다였다고 결론을 짓고 있다. 이 이야기는 내용은 조금씩 다르긴 하지만, 2, 3의 산스크리크문의 설화집에도 수록되어 있는 것 외에, 몇 가지의 한역경전도 포함해서『今昔物語集』권5에서는 거위가 학으로 바뀌어 있다. 최근에는 옛자바어의 문헌에 수록되어 있는 이 이야기를 소개하고, 인도의 5예와 자바의 6예의 부조의 도상을 비교하고, 동부 자바기의 찬디 빠나따란에도 2예가 남아 있다고 한다.

13
먼듯사원의
계단측벽 외벽에 표현된
본생도 중에서
킷칫빠 본생.

14
먼듯사원의
계단측벽 외벽에 표현된
본생도 중에서
389화 금색의 게 본생.

두 번째 단의 왼쪽은 『자타카』 제 389화의 '금색의 게 본생'으로, 까마귀가 독사에게 부탁해서 농부를 물게 했지만, 게가 집게로 까마귀와 뱀을 물어 친구인 농부를 구했다고 한다. 반대쪽인 남면에는 『자타카』 제281화의 '중앙의 망고 본생'도 있다.

⑮ 파원사원(Candi Pawon). 중부자바기(8~9세기). 인도네시아 중부자바 마그랑(Magelang).

한편, 먼듯 사원의 외벽에는 팔대보살이 조성되어 있다. 안산암으로 쌓은 외벽 네 모서리의 좌우 벽면에 각기 다른 지물을 쥔 8구의 보살상이 표현되어 있다. 아시아 각 지역에 남아있는 팔대보살상의 작품에 대해 불공이 한역한 『팔대보살만다라경』과 『보현행원찬』을 바탕으로 한 연구가 진척되어 있지만, 아직까지 해결해야 할 문제는 남아 있다고 하겠다. 먼듯 사원의 입구에서 바라보아 왼쪽에서부터 차례로 보살상이 조성되어 있는데, 대체로 지장 → 미륵 → 관음 → 보현 → 금강수 → 문

수 → 허공장 → 제개장 보살의 순서로 표현되어 있다고 볼 수 있다. 관음은 오른손은 여원인을 짓고, 왼손으로 연화를 쥐고 있고, 그 외의 상들도 제각기 수인과 지물을 쥐고 있다. 동남아시아와 그 주변국과의 팔대보살상을 서로 비교분석하는데 매우 중요한 도상이라고 할 수 있다. 끝으로 파원사원 역시 보로부두르사원과 밀접한 관계가 있고 먼듯 사원 못지않게 매우 세밀한 플랜에 의해 건립되었음을 알 수 있다. 내부에는 현재 빈 공간으로 남아 있지만, 외부의 벽면에는 생명의 나무를 비롯한 킨나라 장식 등 중부 자바기의 숙련된 조각기법을 보여주고 있다.

찬디 쁘람바난은 그 규모의 크기와 섬세한 조각기법을 통해 보는 이를 압도시키기에 충분하다. 사역에는 시바, 브라흐마, 비슈누를 모신 사당군이 솟아 있고, 사원의 벽면은 무리를 지어 덮을 기세의 조각과 부조로 가득 차있고, 힌두교 신화의 장면과, 신상, 동물 그 외의 형상이 곳곳에 나열되어 있다. 건축 그것이 하나의 조각덩어리인양 장관을 이루고 있다. 이러한 장려한 건물이 늘어선 사역에는 일찍이 물이 모여 있었던 곳이라는 설이 있다. 청정한 물을 기리는 사역에서 마치 높은 봉우리가 험준하게 솟아있는 듯이 건물이 숲을 이뤄서 서 있었다는 것이다. 이점과 관련해서 흥미깊은 것은 자바에서 번역된 『라마야나』에서 힌두교 사원에 대한 묘사 중에서, 사역이 우유바다에, 그리고 건축이 만다라산에 비유되고 있는 점이다. 그것에는 힌두교의 창세설화로서 유명한 우유바다젓기(乳海攪拌)의 내용과 사원의 조형이 관련되어 있다. 현재 찬디 쁘람바난의 사역에 배수설비가 완비되어 있고, 그곳에 물이 차있는 것은 아니지만, 충분히 갖춰진 경내의 부지와 이를 둘러싼 주벽과는 물을 저장하기에 필요한 조건을 갖추고 있다. 원래 비만 내린다면

16 쁘람바난 힌두사원군.

자연스럽게 물을 모을 수 있을 것이라고 쉽게 상상할 수 있다. 우유바다에 솟아 있는 聖山이라는 이미지로서 찬디 쁘람바난을 새삼스레 재인식한다는 것도 재미있는 시도일 것이다.

이 글은 『수완나부미』 제 3권 제2호에 게재된 원고를 단행본에 맞게 수정, 보완한 것이다.

필리핀

Philippines

호세리잘의 삶과
문학 그리고 필리핀

김동엽

마닐라를 방문하는 사람이면 누구나 한번쯤 들리는 곳이 바로 인트라무로스(Intramuros)이다. 이곳은 스페인어로 '벽의 안쪽'이라는 의미이며, 1606년에 완성되어 스페인 식민통치의 정치적, 군사적, 종교적 중심지로 이용된 곳이다. 인트라무로스 유적 답사는 보통 웅장하고 고풍스러운 마닐라 대성당에 시작된다. 성당 주변에서 사진기의 초점을 맞추고 있노라면 여지없이 관광용 마차가 다가와 유혹한다. 낯선 거리에서 찌는 듯한 태양의 열기로 당황스러운 참에 이들의 유혹을 뿌리치기는 쉽지 않다. 간단한 가격 흥정이 끝나면 이들이 가장 먼저 안내하는 곳이 해안방위를 위해 구축해 놓은 산티아고 요새(Port Santiago)이다. 당시 성곽의 흔적과 포대 등 요새의 유적들이 남아 있다. 이곳에서 방문객들의 눈길을 끄는 것은 바로 호세 리잘(Jose Rizal, 1861~1896)의 흔적이다. 사형 집행을 당하기 전에 수감되어 생활했던 감옥과 당시의 모습들을 모형으로 제작하여 보존하고 있다. 감옥에서 나와 형장으로 끌려가는 리잘의 발자국이 행로를 따라 길 위에 새겨져 있다. 그리고 인근에 마련된 리잘기념관에는 그가 사용하던 각종 도구들과 유물들이 전시되어 있다.

인트라무로스에서 나오면 인근에 수도 마닐라의 대표적인 시민공원이 펼쳐져 있는데, 그 이름이 다름 아닌 리잘공원(Rizal Park)이다. 넓고 아름답게 조성된 이 공원은 매연으로 가득한 마닐라 도심에서 시민

1
산티아고 요새.

2
감옥 속의 호세리잘.

들과 관광객들이 잠시 쉬어가는 휴식처로 인기 있는 곳이다. 이 공원의
한켠에는 리잘이 처형을 당하는 모습을 청동모형으로 재현해 놓고 있
다. 그 입구에는 처형이 집행되기 전날 밤에 리잘이 써서 등잔 안에 몰
래 감추어 전달된 그의 마지막 시 "Mi Último Adiós"가 새겨져 있다.
스페인어로 '나의 마지막 작별'이란 제목의 이 시는 '안녕 사랑하는 조
국'이란 의미로 해석되기도 한다. 이 시는 전세계 38개국의 언어로 번
역되어 읽혀지고 있다. 시에는 어두운 시대에 큰 획을 남기고 짧은 인

3
형장으로 향하는 발자국.

4
호세리잘의 처형 장면.

생을 마감한 리잘의 슬픈 운명을 보는 듯하여 읽는 이들의 마음을 숙연
하게 한다.

(중략)

내 영원히 사랑하고 그리운 나라

필리핀이여

나의 마지막 작별의 말을 들어다오

그대들 모두 두고 나 이제 형장으로 가노라

내 부모, 사랑하던 이들이여

저기 노예도 수탈도 억압도

사형과 처형도 없는 곳

누구도 나의 믿음과 사랑을 사멸할 수 없는 곳

하늘나라로 나는 가노라

잘 있거라, 서러움 남아 있는

나의 조국이여

사랑하는 여인이여

어릴 적 친구들이여

이 괴로운 삶에서 벗어나는 안식에 감사하노라.

잘 있거라, 내게 다정했던 나그네여

즐거움 함께했던 친구들이여

잘 있거라 내 사랑하는 아들이여

아 죽음은 곧 안식이니 ……("Mi Último Adiós"의 일부, 한국어 번역본에서)

5 호세리잘 초상.

호세리잘의 존재는 단순히 사람들의 이목을 끌기 위해 재현해 놓은 역사적 현장의 주인공으로서 뿐만 아니라, 독립의 영웅이자 애국심의 상징으로서 필리핀 민족의식의 구심점이 되고 있다. 리잘의 생애와 그가 남긴 작품은 필리핀법(RA 1425)에 의해 교과과정에 편입되어 필리핀 학생이면 누구나 교육받고 있다. 또한 그의 삶과 작품을 다룬 영화는 수차례나 제작되어 각종 영화상을 휩쓴 블록버스터가 되기도 했다. 이처럼 리잘은 모든 필리핀 국민들의 정서 속에 아련한 애국심의 상징으로서 오늘을 살고 있다.

리잘은 스페인 식민통치(1565~1898)가 종말을 향하여 치닫고 있던 1861년 한 유복한 중국계 메스티조 가문에서 태어났다. 그의 천재성과 문학적인 자질은 일찍부터 빛을 발하기 시작했다. 필리핀에서 다니던 의과대학에서 원주민 학생이란 이유로 차별받는 것에 반항하여 학업을 중단하고 스페인으로 유학길을 떠났다. 수많은 국가를 여행하였으며 최

6 감옥에서 마지막 편지를 쓰는 호세리잘

소 10개 언어를 구사할 수 있었을 정도로 언어에 뛰어났다. 리잘은 안과의사로서 문학과 예술, 스포츠, 그리고 과학과 사상 등 거의 전 영역에서 탁월한 자질을 드러냈다.

천재 리잘의 삶이 필리핀 독립운동과 만나게 되는 것은 26세의 나이로 1887년에 발표한 소설 『Noli Me Tangere』(나를 만지지 말라)와 연관이 있다. 소설의 제목은 성서 요한복음 20장에 나오는 부활한 예수님이 자신을 만지려 하는 마리아에게 한 말에서 인용한 것으로 보인다. 성서의 내용은 개정 한글번역본에 다음과 같이 기록되어 있다. "나를 붙들지 마라. 내가 아직 아버지께로 올라가지 아니하였노라. 너는 내 형제들에게 가서 이르되 내가 내 아버지 곧 너희 아버지, 내 하나님 곧 너희 하나님께로 올라간다 하라"(요한 21:17). 이 성서

구절은 그의 시 '마지막 작별'의 내용을 연상케 하기도 한다. 이 소설을 통해 리잘은 식민지의 암울한 현실을 묘사하였고, 이를 통해 필리핀 국민들에게 민족의식을 싹트게 했다. 이 소설의 후속편으로 1891년에 발표된 『El Filibusterismo』(선동가)는 필리핀 독립운동의 씨앗이 된 것으로 평가된다. 두 소설의 주인공으로 나오는 이바라(Juan Crisóstomo Ibarra)는 리잘 자신의 삶과 사상을 대변하고, 리잘의 슬픈 연인 리베라(Leonor Rivera)는 소설 속의 마리아(Maria Clara)로 등장하여 필리핀 여성상의 대표적 이미지가 되었다. 소설 『Noli Me Tangere』와 『El Filibusterismo』는 각각 필리핀 중등교육 3학년과 4학년의 교과목에 들어 있어 청소년기부터 필리핀 사람들의 정서 속에 각인되어 있다.

300여 년 동안 지속된 스페인 식민통치로 인해 피폐해진 필리핀 국민들의 자의식과 만연한 사회의 구조적 병폐는 리잘의 사상에 많은 영향을 주었다. 그는 필리핀 국민들 사이에 깊이 뿌리내린 열등감, 비겁함, 소심함, 그리고 그릇된 오만함 등을 소설 속의 등장인물들을 통해 표현했다. 리잘은 사회적 병폐를 치유할 수 있는 유일한 길을 교육에서 찾아야 한다고 주장했다. 1892년 반란음모에 연루되어 민다나오 섬에 유배되어 있을 때에도 학교와 병원은 세우고 계몽운동을 펼치는 등 자신의 신념을 몸소 실천에 옮기기도 했다. 라잘은 필리핀 국민들이 가난에서 벗어나지 못하는 이유가 지배자들의 말처럼 이들의 무관심, 무감각 그리고 나태함 때문이 아니라, 스페인 당국이 필리핀 국민들에 대한 교육을 등한시하기 때문이라고 주장했다.

리잘의 정치적 사상은 혁명적이기보다는 개혁적 측면이 강하다. 식민통치 하에서 모순 덩어리인 필리핀 사회에 대한 처방으로 식민통치의 척결보다는 식민통치의 방식을 개혁해야한다고 주장했다. 식민정부는 식민지 국민들에 대한 수탈과 노예화, 그리고 무지화가 아닌 교육과 계몽을 통해 스스로 통치할 수 있도록 해야한다고 강조했다. 이러한 리잘의 온건하고 점진적인 개혁사상은 아시아의 근대 개혁사상을 대변하는 간디(Mohandas Karamchand Gandhi, 1869~1948), 타고르(Rabindranath Tagore, 1861~1941), 그리고 손문(孫文, 1866~1925) 등의 사상과 맥을 같이하며, 아시아에서 식민시대를 넘어 새로운 국민국가 시대를 여는 사상적 배경을 제공했다.

그러나 필리핀 독립의 영웅으로서 리잘에 대한 필리핀 역사가들의 평가는 시대에 따라 차이가 있다. 리잘이 필리핀 국민들로 하여금 민족의식을 싹트게 했던 것을 부정하지는 않지만, 그가 스페인 식민통치를 척결하고 독립을 쟁취하려는 독립운동에 직접 참여하지는 않았다는 것이다. 리잘은 1892년 필리핀 독립을 위해 결성된 비밀결사단체 까티푸난(Katipunan)의 지도자로 참여해 줄 것을 제안 받았으나, 이를 거부했으며 무장독립 투쟁을 부정했다. 한편 스스로 스페인이 치루고 있는 쿠바전쟁에 자원해서 참여하려 함으로써 식민통치에 순종하는 모습을 보이기도 했다. 이처럼 필리핀 독립에 대한 리잘의 소극적 태도는 필리핀의 진보적 역사관을 대변하는 학자들(Teodore Agoncillo, Renato Constantino)에 의해 비판의 대상이 되기도 했다. 이들은 가난한 농부 출신으로 까티푸난을 조직하여 목숨을 걸고 독립투쟁을 주도한 보네파쇼(Andrès Bonifacio, 1863~1897)가 필리핀 독립의 영웅으로서 최소한 리잘과 동등한 대우를 받아야 한다고 주장했다.

아이러니하게도 리잘이 필리핀에서 국가적 영웅으로 부상한 시기는 스페인의 뒤를 이은 미국의 식민통치 시기였다. 333년을 이어온 스페인 식민통치가 막을 내리고 미국의 식민통치로 이어지는 과정은 필리핀 역사에 있어서 잔인한 시기였다. 1898년부터 1902년까지 이어진 미국과 필리핀의 전쟁은 34,000여명의 필리핀 독립군과 200,000여명이나 되는 민간인의 목숨을 앗아갔다. 이 전쟁의 진학상은 각종 문헌과 매체에 상세히 기록되어 있으며, 이를 통해 필리핀의 저항적 독립운동 정신은 철저히 붕괴되었다. 이후 미국에 의해 실시된 동화정책은 교육과 선교를 통해 필리핀 국민들을 계몽하는 것이었고, 일정기간의 정치적 훈련과정을 거쳐 독립시켜주겠다는 약속으로 필리핀 국민들의 마음을 사는데 성공했다. 물론 이러한 미국의 결정에는 자국의 국익과 관련된 내부적 사정이 있었기 때문이기도 했다. 아무튼 미국정부의 이러한 식민통치 이념을 가장 잘 대변할 수 있는 인물이 바로 리잘이었던 것이다. 그의 사상에 내포된 계몽주의적 이념과 비폭력 개혁정신은 필리핀의 무장 독립정신을 대체할 좋은 대안이었던 것이다.

국가적 영웅으로서 리잘의 위상은 1946년 필리핀 독립 이후에도 지속되었으며 오늘날까지 이어지고 있다. 1960년대 말 진보적 민족주의 사상이 풍미하던 시기에는 일부역사가들에 의해 리잘과 보네파쇼의 역사적 위상을 재정립해야 한다는 목소리가 나오기는 했지만, 이어진 마르코스 독재체제의 그늘 하에서 논쟁은 사라지고 말았다. 오늘날 필리핀 사회는 식민통치 시대에 구조화된 사회적 모순이 많은 부분 남아 있다. 특히 극심한 빈부의 격차와 일부에게 집중된 부와 권력, 그리고 암울한 현실을 스스로의 운명으로 받아들이는 국민성 등이 이를 대변한다. 온건 개혁주의자인 리잘이 아닌 급 혁명주의자인 보네파쇼의 사상이 필리핀 국민들의 정신세계를 지배하고 있다면, 오늘날 필리핀 사회의 구조적 병폐가 별다른 저항 없이 지속될 수 있을지 의문이 든다.

7 마닐라 호화 쇼핑몰. 출처: 필자사진.

8 마닐라 거리의 가판원. 출처: 필자사진.

암울한 시대에 슬픈 운명을 살다간 계몽주의자 호세리잘의 사상이 필리핀 사회의 구조화된 모순 속에서 특권을 향유하는 지배층의 통치논리로 왜곡되어 이용되는 것은 아닌가하는 안타까운 생각이 든다.

이글은 「수완나부미」 제1권 제2호에 게재된 게재된 글을 수정·보완한 것이다.

필리핀의 종교와 의식

김동엽

　필리핀에서는 해마다 기독교 신앙의 중심적 사건이라고 할 수 있는 예수의 고난과 사망, 그리고 부활의 의미를 되새기는 고난주간 행사가 다양한 의식과 함께 치러진다. 대표적인 것은 고행의식으로서 많은 마을에서 청년들이 얼굴을 가린 채 상체를 드러내고, 등에 상처를 낸 후 그 부위를 채찍으로 치면서 돌아다니는 의식이다. 이들은 고난주간 동안 성당의 벽에 걸려 있는 예수의 수난기(Passion of Christ)를 담은 사진들을 돌며 경배의식을 표하기도 하고, 또한 무리지어 십자가를 지고 가는 행렬과 함께 거리를 돌아다니기도 한다. 일부 지역에서는 마을 단위의 고난주간 행사를 치루기도 하는데, 주로 예수의 십자가 고난 과정을 연극처럼 재현하는 형식을 띠고 있다. 즉 가시관을 만들어 쓰고 커다란 나무십자가를 만들어 지고 거리를 행진하며, 로마병사의 복장을 입은 사람들이 그 주위에서 채찍을 들고 호위하는 모습 등이다. 이들의 행렬 뒤에는 고행의식을 하는 마을청년들과 마을사람들이 길게 뒤따르는 모습을 연출한다. 그러나 이러한 행사가 일부 지역에서는 실제로 사람을 십자가에 못 박는 행위로 이어지기도 한다. 이러한 행위에 대해서 필리핀 가톨릭교회에서는 바람직하지 않은 행위들이라고 공식입장을 표명하고 있지만, 주민들 사이에 자발적으로 행해지는 이러한 행사에 대해 대부분 묵인하고 있다.

2

고행의식을 하고 있는 청년.

고난주간에 '십자가 행사'(crucifixion) 가 치러지는 지역에는 많은 사람들이 이 관경을 목격하기 위해 몰려든다. 이러한 행사는 이미 필리핀 국내뿐만 아니라, 각종 언론매체를 통해 해외에도 많이 알려짐에 따라 많은 외국인들이 찾아오기도 한다. 행사장으로 향하는 길가에는 각종 노점상들이 늘어서 있으며, 가톨릭의 성인들의 형상이 새겨진 사진이나 목걸이(pendent), 그리고 십자가나 채찍 등 기념품을 판매한다. 한편에서는 폭염의 날씨를 피하기 위한 모자나 양산, 물과 음료, 아이스크림, 그리고 심지어는 맥주나 지역의 전통주까지 등장하기도 한다. 어린 자녀들의 손을 잡고 행사장으로 향하는 가족의 모습은 마치 소풍을 가는 듯한 느낌을 들게 한다.

③
십자가를 지고 가는 모습.

십자가 행사가 이루어지는 장소에 도착하면 수많은 사람들이 신앙심과 호기심에 가득한 모습으로 십자가에 못 박힐 사람들의 등장을 기다리고 있다. 거리를 행진해서 도착한 십자가 행렬이 군중들 앞에 등장하고, 행렬과 함께 등장하는 십자가에 못 박힐 사람의 얼굴에는 비장함이 감돈다. 매년 이러한 십자가 행사로 유명한 팜팡가(Pampanga) 지역에서는 여러 사람이 십자가 행사에 참여하는데, 이들 중에는 일본이나 호주에서 온 외국인들도 끼어 있다. 이들이 십자가 행사에 참여하는 데에는 다양한 이유가 있으며, 또한 공통적인 무언가를 발견할 수도 있다. 이들은 자신과 가족의 지은 죄에 대한 용서를 비는 의미로서 십자가의 고통을 체험하고자 하기도 하고, 목숨이 위험한 상황이나 암과 같은 큰 병에서 자신이나 가족을 구해 준 것에 대한 감사의 표현으로써 참여하기도 한다. 또한 현재 큰 병을 앓고 있는 가족의 치유를 기원하는 의미에서 참여하는 경우도 있다. 이러한 다양한 이유들 속에는 자신의 신앙에 대한 고백적 의미가 배경에 깔려있지만, 필리핀 토속적인 종교관과 연관된 주술적인 의미도 내포되어 있다.

필리핀에 기독교가 전파된 것은 16세기 중엽 마젤란이 필리핀 중부 세부섬에 도착하여 그 곳 추장(Humabon)의 병든 아들을 치료해 주었고, 이를 계기로 부족민 800명에게 집단으로 기독교 세례를 베풀어 줌으로써 시작되었다. 마젤란은 이후 이웃 부족과의 갈등에 연루되어 살해당하지만, 그 후 도착한 스페인 사람들에 의해 필리핀은 남부의 일부 이슬람 지역과 북부의 일부 산악지역을 제외하고 대부분 지역이 기독교화되었다. 그 결과 오늘날에도 전체 국민의 85% 가량이 가톨릭 신자로 남아 있다.

4
십자가에 못을 박는 모습.

필리핀에서 외래 종교인 기독교가 수월하게 토착화되고, 또한 토속적인 신앙관과 접목되어 혼합적인 양상을 보이는 이유에 관해서는 다양한 추론이 존재하다. 우선 스페인 성직자들이 현지인들에게 기독교 사상을 전파하는 행태와 관련이 있다. 필리핀에 기독교를 전파한 스페인 성직자들은 기독교 사상을 전파하는 데에 많은 어려움에 직면했다. 특히 필리핀 군도가 단일한 언어와 전통, 그리고 믿음체계를 가지고 있는 것이 아니라, 200여개가 넘는 개별부족들이 서로 다른 언어와 신앙을 가지고 있는 상황이 기독교 전파에 어려움을 더욱 가중시켰다. 이러한 상황에서 성직자들은 원주민에게 스페인 언어를 보급하기 보다는 스스로 부족의 언어를 습득하여 그들의 언어로 기독교 신앙을 전파했다. 이들은 성경에 나와 있는 사상을 원주민들에게 쉽게 전달하기 위하여 각종 상징이나 연극과 같은 시각적인 기재를 많이 이용하였다. 또한 원주민들의 정서에 쉽게 접근하기 위하여 그들의 토속적인 종교의식과 조화되는 방향으로 성서의 내용을 전달했다. 스페인은 식민지 내 이슬람 세력들에 대해서는 무력적 충돌을 통해 갈등을 표출하기도 했다. 그러나 대부분의 원주민들에게는 외부세력, 특히 이슬람 세력으로부터 부족민들을 보호해 준다는 명목 하에 흩어져 살고 있는 부족민들을 교회를 중심으로 모아 마을(pueblos)을 형성함으로써 자연적으로 신앙공동체를 형성했다. 원주민들로부터 경외심을 통한 종교적 신앙심을 유도하기 위해 교회 건물이나 성직자의 의상들에 각종 장식으로 치장하고 화려한 종교의식 등을 행하기도 했다.

외래의 기독교 신앙이 필리핀 원주민들에게 큰 무리 없이 전파되어 오랫동안 지속된 데는 이들의 토속적인 신앙체계와 유사한 측면이 있기 때문으로 보기도 한다. 필리핀의 토속적 신앙은 지역에 따라 다양한 언어와 유형으로 존재하기 때문에 단일한 신앙체계로 설명하기는 힘들다.

그러나 이러한 다양성 속에도 보편적인 특징이 나타나는데, 이는 기독교에서의 유일신과 대비되는 존재로서 창조의 주체인 절대자에 대한 믿음이다. 이 '최고의 신'은 그 형상이 알려져 있지 않으며, 또한 굳이 형상화하려고도 하지 않는다. 이에 대한 명칭도 지역에 따라 다양하게, 즉 Bathala, Kabunian, Mansilatan, Makaptan, Laon, Lumauig, Mamarsua, Tuhan 등으로 불리어진다. 일반적으로 이 최고의 신은 일상적인 숭배나 기도의 대상이 되지 않으며, 아주 특별한 경우나 연례적 행사에 등장한다.

한편 일상적인 숭배와 기도의 대상이 되는 신들은 최고의 신에 의해 만들어진 하위의 신들이다. 이들도 지역에 따라 Diwa, Diwata, Tuhan, Anito 등 다양한 명칭으로 불려진다. 이러한 다양한 신앙의 대상들은 필리핀의 토속신앙을 범신론으로 규정하는 근거가 되기도 한다. 하위의 신들 중에는 은혜를 베푸는 '선한 신'과 재앙을 가져오는 '악한 신'이 존재한다. 사람들은 악한 신도 적으로 보지 않고 기도의 대상으로 여기며, 이들이 세상에 가져오는 재앙도 우주질서의 한 부분으로 간주한다. 인간세계와 지하세계에는 선한 신과 악한 신 사이에 싸움이 존재하며, 인간들은 악한 신이 가져오는 재앙에 대항하기 위해 선한 신에게 도움을 요청하기도 하며, 또한 악한 신을 달래기도 한다. 이와 같은 선한 신과 악한 신 사이의 갈등에서 부족을 보호하는 역할을 담당하는 사람이 곧 부족의 주술사이자 리더이다. 이들의 특별한 지위는 사람들로부터 초자연적인 능력을 지녔다는 명성에 의해 획득되고 유지된다. 이러한 지위를 획득하기 위해 많은 경쟁자들이 자신의 능력을 보여주는 의식이나 치료행위를 행하였다. 많은 경우 이들은 부적(ating-ating)

을 만들 수 있고, 이 부적을 지니고 있는 사람은 악한 신의 시야에서 벗어나 해를 당하지 않는다고 믿었다.

5
십자가에 못 박힌 후
모인 관중들에게
말씀을 전하는 모습.

이러한 전통적인 신앙관은 오늘날 고난주간의 행사 속에도 스며들어 나타난다. 십자가에 자신을 못 박는 사람은 그러한 행위를 통하여 특별한 능력을 부여받는다고 믿는다. 따라서 많은 경우 십자가 행사에 참여하는 사람은 전통사회의 주술사들이 가진 명성을 얻는다는 의미에서 해마다 참여하고 있다. 성당주변이나 행사장으로 향하는 길가에서 판매되는 가톨릭 성자(saint) 들의 형상이 그려진 사진이나 목걸이 등은 토속신앙에서 악한 신으로부터 자신을 보호해 주는 부적과 같은 의미를 갖는다. 이처럼 필리핀의 기독교 신앙은 전통적인 토속신앙과 어우러져 특이한 형태로 표현되고 있다.

이글은 「수완나부미」 제1권 제2호에 게재된 게재된 글을 수정 · 보완한 것이다.

필리핀과 무역 도자기

김인규

  도자기의 무역은 850년 경 중국 절강성(浙江省) 일대에서 제작된 월주요청자(越州窯靑磁)가 한국, 일본 그리고 베트남, 필리핀, 인도네시아 및 서아시아, 이란, 이라크, 이집트 지역까지 반입되면서 본격적으로 시작된다.

  무역품으로 중국 도자기는 현재의 반도체와 같이 저비용 부가가치 상품으로 많은 이익을 창출하는 마법의 항아리와 같이 엄청난 경제적 이익과 가치를 따질 수 없는 무형의 중국취미 내지 중국문화의 동경 즉 시누아즈리(중국취미, Chinoiserie)라는 풍조를 세상에 만들어 내었다.

  필리핀 유적에서 출토된 무역 도자기는 중국, 한국, 일본 도자기 및 베트남, 타이 도자기 등으로 구분할 수 있다. 중국 도자기는 800년 전후에 등장하여 1800년도까지 거의 1000여년 동안 무역 도자기로서 최고의 자리에 군림하게 된다. 한국 도자기는 전 세계로부터 높은 평가를 받았던 12세기 중엽의 고려청자와 명대 해금(海禁) 정책으로 중국의 무역 도자기가 제대로 역할을 하지 못했던 15세기에 제작된 분청사기 등이 필리핀 지역으로 반입된다. 일본 도자기는 필리핀 인트라무로스(Intramuros) 유적에서 17세기 후반의 것이 주로 발견된다. 동남아시아의 베트남, 타이 도자기 역시 15세기, 16세기 중국 도자기의 대용품으로 필리핀에서 반입되어 중개매매된다.

아시아 및 유럽에 반입된 중국 도자기는 몬순기후나 계절풍을 이용한 범선에 의하여 운반된 것으로 생각된다. 호라니(Hourani)가 바스라, 시라푸에서 광동까지 6개월 정도 걸린다고 밝혔듯이 중국 도자기는 광동을 출발하여 중동지역까지 약 6개월 전후의 시간이 소요되어 서아시아 지역에 반입된 것으로 생각된다.

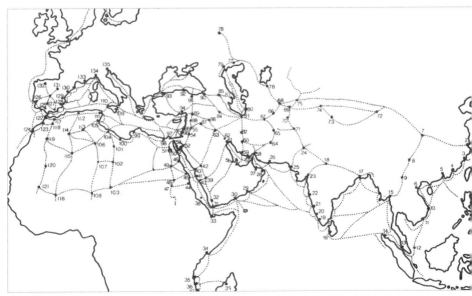

표1 중국 도자기 반입루트

중국 도자기가 서아시아지역으로 반입된 무역루트에 대해서는 10세기경, 서아시아에서 출판된 슐레이만(Sullayman)과 아부 자이드(Abu Zayd)에 의해 쓰여진 Akhbar al-Sin wal-Hind 와 부즈르크 이븐 샤후리야르가 저술한 Kitab Ajaib al-Hind 라는 책을 통하여 알 수 있다. 이러한 책을 통해 서아시아 사람들이 이용했던 인도양의 루트는 여러 개가 사용된 것을 알 수 있고 이중 도자기와 밀접한 관계를 가진 중국 광동(廣東)에 이르는 경로는 [표1]과 같다.

필리핀에서 출토된 중국 도자기

필리핀 유적에서 출토된 중국 도자기는 당대(唐代), 송대(宋代), 원대(元代), 명대(明代), 청대(淸代)로 구분할 수 있다. 당대 도자기는 장사요청자(長沙窯靑磁), 월주요청자, 형요백자(邢窯白磁) 등이 있다. 장사요청자는 대부분이 접시로 형태와 문양이 인도네시아 벨리퉁(Belitung, 826년 경 침몰)에서 출토된 것과 동일하여 늦어도 826년 경에 필리핀 지역에 반입된 것으로 여겨진다. 접시의 중앙에는 초화문이 커다랗게 장식되었고 세 귀퉁이에는 산화철로 세 귀퉁이를 직선으로 색칠하여 소박하면서 과감한 문양을 만들어내고 있다.

이러한 장사동관요는 한국과 일본 그리고 베트남, 필리핀, 인도네시아를 거쳐 이란 등 서아시아지역까지 수출되어 무역 도자기로 당대 도자기의 존재 및 무역루트를 보다 명확하게 제시하고 있다.

송대(宋代)의 도자기는 필리핀 민다나오 브투안(Mindanao

Butuan) 유적에서 주로 출토되고 있다. 이 시기의 중국 도자기는 북송과 남송의 것으로 구분할 수 있다. 북송시대의 도자기로 월주요청자는 10세기 후반의 것이 대부분을 차지하고, 그릇의 외부에는 연판문이 새겨져있다. 같은 시기의 백자로는 하북성(河北省)에서 생산된 정요백자(定窯白磁)가 소량 출토되고 있다. 월주요청자와 마찬가지로 외부에 연판문이 입체적으로 새겨져 있다. 남송시대의 도자기는 복건성 동안요(同安窯)계청자와 천주요(泉州窯)에서 제작된 황색과 녹색의 유약을 사용한 도기(陶器)가 있다.

1 필리핀 출토 장사요청자
2 인도네시아 벨리퉁 출토 장사요청자(826년 경)

원대 도자기는 절강성 용천요(龍泉窯)청자와 강서성 경덕진요(景德鎭窯)에서 제작된 청백자와 청화백자가 있다. 용천요청자는 대형의 반(盤)과 향로(香爐) 등이 중심을 이루고 있다. 반의 중앙에는 물고기 두 마리가 서로 마주보고 헤엄치는 모습이 시문되어 있다. 그리고 향로에는 원의 도자기에서 보이기 시작하는 팔괘(八卦)의 문양이 시문되어 있다. 이 문양은 기본적으로 조상의 은덕을 기리고, 혼란한 현세를 우주의 원리와 질서를 도형화한 팔괘를 통해 굳굳이 헤쳐 나가려고 했던 당시 사람들의 모습을 헤아릴 수 있다.

3 필리핀 출토 용천요청자향로 4 필리핀 산타아나 유적 출토 청화백자

필리핀 출토의 원대 도자기는 대부분이 14세기 전반의 것이고 기형과 문양 등이 한국 신안(新安) 앞 바다 침몰선에서 나온 중국 도자기의 매우 흡사하여 14세기 전반의 중국의 청자 및 경덕진의 청백자의 연구에 매우 중요하다.

나아가 이 시기의 유물이 동아시아는 물론 동남아시아, 서아시아 등에서 널리 보여 당시의 무역루트를 파악하는 데도 매우 중요한 역할을 할 것으로 생각된다.

필리핀 산타아나(Santa Ana) 유적에서 집중적으로 나온 원대 청화백자(靑花白磁)는 대부분이 소형으로 호, 주전자 등이 있고 문양은 국화문이 주를 이루고 있다. 필리핀에서 출토된 소형 위주의 기형에 간략한 문양이 시문된 청화백자는 서아시아에서 발굴된 대형의 빽빽한 문양을 가진 청화백자와 달리 약간 이른 시기인 14세기 전반에 제작된 것으로 여겨진다. 명대 도자기는 바탄가스 칼라타간(Batangas Calatagan) 유적과 필리핀 인근 바다에 침몰된 판다난(Pandanan) 및 네라쇼올(Lena Shoal), 산타 크르즈(Saint Cruz), 샌디에고(San Diego) 선박 등에서 출토되었다.

샌디에고 침몰선에서 인양된 도자기는 명말청초 전환기 및 경덕진요가 폐쇄되는 1620년 이전의 도자기의 제작과정을 보여주는 자료로서 매우 귀중하다. 기형으로 호, 병, 대접, 접시 등이 있고 반의 저부에는 약간 굵은 모래를 받쳐 구운 것을 확인할 수 있어 제작지의 추적에 매우 유용하다.

5 샌디에고 침몰선 출토
청화백자병(1600년 경)

6 샌디에고 침몰선 출토 반(1600년 경)

필리핀 유적에서 나온 청대도자기는 스페인 유적인 인트라무로스에서 폭넓게 출토되고 17세기 후반의 청화백자와 색회자기가 대부분을 차지하고 있다. 출토된 청대의 도자기는 경덕진, 복건, 광동지역 등에서 주로 제작되었다.

필리핀 출토된 한국 도자기 및 일본 도자기

필리핀에서 출토된 한국 도자기는 고려청자와 분청사기로 나뉜다. 고려청자는 약 10점이 팡가시란 볼리나오(Pangasinan Bolinao)에서 출토된 것으로 전해지고 그 중 2점이 현재 일본 토야마(富山)의 사또(佐藤)공예미술관에 소장되어 있다. 한 점은 12세기 전반의 것으로 문양이 없고 규석을 받쳐 구웠다. 다른 한 점은 12세기 후반의 것으로 찍어서 문양을 만들었다.

필리핀에서 출토된 조선시대의 도자기로는 15세기에 제작된 인화기법의 분청사기가 있다. 동종의 도자기가 하까타(博多) 유적 등 일본 서부지역에서 출토되고 있어 일본 서부에 전해진 분청사기의 일부가 오키나와를 거쳐 필리핀 지역으로 반입된 것으로 여겨진다.

7 필리핀 출토 고려청자   8 필리핀 인트라무로스 출토 일본 청화백자

필리핀에서 출토된 일본 도자기는 마닐라 인트라무로스(Intramuros) 유적에서 일정량이 확인되고 17세기 중엽에 보이기 시작하여 17세기 후

반에는 양이 늘어난다. 출토된 일본 도자기는 대부분이 청화백자로 아리타(有田)와 그 인근에서 제작된 것으로 여겨진다.

출토된 일본 도자기 중에는 그 생산지를 정확히 밝힐 수 있는 것이 있고, 그 대표적인 예로 나가사키 하사미(長崎 波佐見)에서 제작된 청화백자의 존재가 있다.

이 청화백자는 접시의 중앙에는 바닥에 닿는 면이 넓은 이른바 해무리굽의 백자나 청화백자를 구운 흔적인 둥근 원형이 보인다.

이러한 해무리굽을 가진 백자는 한국에서 17세기 후반의 백자에 주로 보여 필리핀에서 출토된 일본 하사미에서 제작된 청화백자는 조선백자의 영향을 받은 것으로 임진왜란 전후에 납치된 조선도공 또는 조선도공이 직, 간접으로 개요(開窯)에 관여한 조선식 가마에서 제작된 도자기로 여겨진다.

즉 하사미를 비롯한 일본 서부에서 제작된 도자기의 상당수는 조선도공 내지 조선식 가마에서 만들어진 것이 포함되어 있고 그러한 것들의 일부가 필리핀에 수출된 것으로 생각된다. 결국 필리핀에서 출토된 일본 서부에서 제작된 도자기는 조선도공 및 조선식 가마에서 제작 것으로 무역 도자기로서 필리핀, 인도네시아, 서아시아를 거쳐 유럽으로 전해진 것으로 생각된다.

이것은 조선백자의 기술을 직접 승계한 일본 서부 지역의 도자기가 무역 도자기로서 동남아시아 및 유럽지역으로 확대된 것을 의미하며 넓은 의미로는 조선백자 및 그 기술이 유럽으로 확장된 것으로 해석할 수 있어 세계 및 동양 도자기의 역사에서 조선백자가 차지하는 역할과 위상을 재평가하는 중요한 척도가 될 것으로 예상된다.

필리핀에서 출토된 동남아시아의 도자기는 베트남, 타이, 미얀마의 것으로 구분할 수 있다. 필리핀 유적에서 출토된 베트남 도자기는 일정량이 명의 해금정책이 엄격하게 유지되었던 15~16세기에 반입된 것으로 여러 유적에서 확인되고 있다.

⑨ 판다난(Pandanan) 침몰선 출토, 베트남청화백자

⑩ 베이어 컬렉션 소장 타이청자

필리핀 출토의 대표적인 베트남 도자기는 판다란 침몰선에서 확인할 수 있고 소형의 작은 호를 비롯하여 대형의 반, 주전자 등 다양하다. 타이의 도자기는 청자가 중심을 이루고 있고 두 개의 귀를 가진 호나 반 등이 있고 판다난 침몰선 및 필리핀 국립박물관 소장의 베이어 (H. Otley Beyer) 컬렉션에도 보인다. 미얀마 도자기는 마르타반호 (Martaban Jar)와 청자로 구분할 수 있다. 마르타반호는 민다나오지역에서 주로 출토되고 청자는 산타 크르즈(Saint Cruz) 침몰선에서 일부 확인되고 있다.

필리핀의 유적과 침몰선에서는 중국, 한국, 일본의 동아시아 및 베트남, 타이, 미얀마의 동남아시아, 서아시아와 유럽 도자기가 시대가 변화에 따라 다양하게 출토되고 있다. 이중 중국 도자기는 당대부터 청대까지 1000여년 간 필리핀 유적에서 확인되고 있어 필리핀의 무역에서 오랫동안 중요한 위치를 차지했던 것으로 여겨진다.

필리핀에서 출토된 한국 도자기는 12세기와 15세기의 것이 일부 확인되어 고려와 조선전기의 문화의 연구에서 매우 중요한 의미를 가지고 있다. 일본 도자기는 17세기 후반에 집중적으로 나타난다.

동남아시아 도자기는 명의 해금정책의 기조가 확고했던 15~16세기에 필리핀 지역에 반입된다. 특히 필리핀의 유적에서 확인 가능한 베트남 청화백자의 양이 상당량이어서 필리핀 지역에 반입된 베트남 청화백자를 중계무역 등의 여러 측면에서 구체적으로 살펴볼 필요가 있다.

이 밖에 필리핀에서는 9, 10세기 반입된 서아시아의 녹유도기 및 19세기 이후 반입량이 증가하는 유럽 도자기가 여러 유적에서 확인되고 있어, 앞으로 이러한 것에 대한 종합적인 연구는 필리핀 지역이 아시아와 유럽의 무역 및 문화교류에 어떠한 역할을 했는지를 밝히는 중요한 키워드가 될 것으로 생각된다.

이글은 「수완나부미」 제3권 제2호에 게재된 게재된 글을 수정 · 보완한 것이다.

말레이시아

말라카, 진정한 아시아

김동엽

동남아 국가들 중 관광의 나라를 꼽으라면 의례 태국을 떠올린다. 그러나 2010년도 관광객 방문 수를 집계한 통계에 따르면 태국보다 말레이시아가 월등히 많음을 알 수 있다. 2010년도에 태국을 방문한 관광객 수는 약 1,500만 명이었지만, 말레이시아를 방문한 관광객 수는 약 2,400만 명에 달했다. 이처럼 많은 외국인이 말레이시아를 찾는 데에는 CNN이나 BBC같은 국제적 방송채널에서 쉽게 접할 수 있는 말레이시아 관광 슬로건 'Malaysia Truely Asia'(말레이시아, 진정한 아시아)가 큰 몫을 한 것으로 평가한다. '진정한 아시아'란 무엇인가? 이 단순하면서도 오묘한 질문에 대해 그 누구도 명쾌한 해답을 내주지 못한다. 많은 학자들이 역사, 지리, 문화, 정치, 경제 등 모든 분과학문을 동원하여 설명하려고 하는 이 물음에 대해 말레이시아는 "내가 진정한 아시아다, 와서 봐라"고 부르고 있다. 아시아, 특히 동아시아공동체 결성 논의가 한참인 이 때 아시아의 정체성 문제를 두고 고심하는 사람이라면 누구나 귀가 솔깃한 광고가 아닐 수 없다. 그럼 말레이시아를 방문하는 사람들이 발견하는 아시아는 어떠한 모습일까 궁금해진다.

아시아를 대변하는 거대한 두 문명은 누가 무어라 해도 중국과 인도이다. 그러나 지리적 근접성을 제외하고 이 두 거대 문명이 가지는 공통성은 찾기가 싶지 않다. 이는 곧 아시아가 유럽처럼 단일한 문명적 기초, 즉 로마법과 기독교라는 공통성을 가지지 못하는 이유이기도 하다. 더불어 이 두 거대 문명만 가지고 아시아를 논하는 것 또한 왠지 내용이 빈약해 보인다. 이는 두 거대 문명의 틈새에서 나름대로의 정체성을 만들고 유지해 온 수많은 주체들의 색깔을 재대로 담지 못하기 때문이다. 전체로서의 아시아는 거대한 역사의 흐름 속에서 수많은 내 외부의 정신과 문물이 교류되고 융합되어 오늘날까지 이어져 온 혼종의 공간인 것이다. 이러한 아시아의 모습을 가장 잘 대변하는 지역이 바로 동남아이다. 동남아는 일찍이 두 거대 문명의 영향을 깊이 체화했을 뿐만 아니라, 인근의 중동은 물론 먼 서구 문명의 유입으로 다채로운 문명의 지평을 내포하고 있다. 오늘날 동남아의 모습은 외부문명의 색체로 겹겹이 쌓여져 그 정수를 좀처럼 드러내지 않는다. '문화는 주어진 것이 아니라 창조되는 것이다'라는 명제를 되새겨 보면 오늘날 동남아를 대변하고 있는 다양하고 화려한 모습들이 진정한 동남아의 본질이 아닌가 싶다.

이와 같은 동남아의 다양하고 화려한 모습을 가장 잘 담고 있는 도시가 바로 말레이시아의 말라카이다. 말라카는 1400년 경 수마트라의 한 왕자가 왕권경쟁에서 패하고 이곳으로 도망하여 건설한 왕국으로 알려져 있다. 해상무역이 번성하던 당시 말라카는 동서양 문물의 집산지로 부상했다. 이는 당시 중동과 유럽에서 인기가 높았던 중국과 동남아의 물산이 집결하여 서쪽으로 향하는 인도양의 관문에 위치한 지리적 조건 때문이기도 했다. 이처럼 말라카는 일찍이 수많은 무역 상인들이 분주히 드나드는 당시 최고로 국제도시였다. 말라카 왕국은 해상무역의 주도적 역할을 담당했던 이슬람 상인들의 영향으로 이슬람 왕국이 되었다. 말라카 왕국의 이슬람화는 도서부 동남아에 이슬람이 급속히 전파되는 계기가 되기도 했다.

또한 말라카는 15세기 초 중국 명나라 환관 정화(鄭和)의 해외원정 시 주요 기착지이기도 했다. 정화는 1405년부터 1433년까지 거대한 함대를 이끌고 8차례 해외원정을 떠났는데, 그 중 7차례나 말라카에 기착했다는 기록이 있다. 아프리카 동부지역까지 그 흔적을 남긴 정화의 해외원정은 콜럼버스가 아메리카 대륙을 발견한 1492년보다 거의 100년이나 앞선 위대한 해상탐험이었으며, 당시 해상무역의 걸림돌이었던 해적들을 소탕함으로써 자유로운 해상활동의 전성기를 맞이하게 했다. 말라카가 이러한 역사적 해외원정의 주요 기착지였다는 것은 국제무역항으로서의 말라카의 중요성을 대변해 주는 사건이 아닐 수 없다. 말라카는 동쪽과 서쪽으로부터 무역풍을 타고 방문한 많은 상인들이 무역을 위해 머무르면서 그들의 생활 풍습을 남김은 물론 일부는 아예 현지인과 결혼하여 정착하는 경우도 많았다. 이들의 흔적과 그 후손들의 모습은 오늘날에도 남아 있다.

말라카는 유럽인들이 아시아의 특산물인 후추와 향료를 직접 구하기 위해 아프리카 남단을 돌아 험난한 대서양 항로를 지나 최초로 도착한 동남아 무역도시였다. 유럽인 최초로 아시아 항로를 개척한 포르투갈은 1511년 말라카를 무력으로 점령하고 동남아에서 최초의 식민지를 구축했다. 이를 시작으로 말라카는 1957년 말레이시아로 독립하기 전까지 외부세력의 지배를 받게 되었다. 1602년 동인도회사(VOC)를 설립한 후 본격적으로 해상무역에 뛰어든 네덜란드는 우수한 선박과 무력을 이용하여 해상무역의 새로운 강자로 부상했으며, 1641년에는 포르투갈

1 말라카 만남의 광장.

2 영국 성공회 건물.

세력을 몰아내고 말라카를 차지했다. 이후 동남아 해상무역의 패권을 놓고 경쟁하던 영국과 타협을 통해 말라카는 1795년부터 영국의 지배 하에 놓이게 된다. 말라카는 1942년 태평양전쟁의 와중에 일본군의 점령지가 되기도 했다. 말라카처럼 많은 식민세력을 경험한 지역도 흔치 않으며, 이들이 남기고 간 다양한 흔적들을 오늘날까지 고스란히 간직하고 있는 곳도 찾아보기 쉽지 않다.

③ 포르투갈 성체 잔해.

④ 포르투갈인 성당 잔해.

5 16~17세기 유럽 범선.

6 16~17세기 상거래 모습 모형.

말라카를 찾는 방문객들을 실어 나르는 차량들이 도착하는 곳이 만남의 광장(Town Square)이다. 광장 중앙에는 유럽의 마지막 식민세력이었던 영국의 빅토리아 여왕을 기념하는 분수대가 시원한 물줄기를 뿜고 있다. 그 바로 옆에는 적갈색의 성공회 교회가 영국의 종교적 영향을 오늘날까지 잇고 있다. 교회 내부의 바닥을 깔고 있는 돌들을 자세히 살펴보면 수백 년 전에 누군가의 무덤 앞에 세워졌던 비석들인 것을 알 수 있다. 교회의 뒤쪽으로 이어져 있는 언덕에는 복원해 놓은 이슬람 왕궁의 건물과 함께 포르투갈과 네덜란드의 종교적 건축물 군사적 흔적들이 여기저기 남아있다. 말라카를 가로지르는 강 하구에 전시되어 있는 거대한 범선은 과거 대항해시대 때 대양을 누비며 무역과 전투를 벌였던 그 위풍을 그대로 간직하고 있다. 지금은 박물관으로 사용하고 있는 이 범선은 방문객들을 수백 년 전 치열했던 교류의 현장으로 안내한다.

유럽인들은 식민지를 개척한 후 외부로부터의 공격에 대비하여 성벽을 쌓고 포대를 설치했다. 그리고 자신들을 안전을 위해 주로 성벽 안에 거주했다. 이는 곧 식민도시의 중심부가 되었으며 인근에는 시장과 함께 집단 거주지가 형성되는 것이 보통이었다. 특히 식민도시의 필요한 물자를 공급하는 일이나 원주민과의 사이에 중계인 역할을 한 사람들은 주로 중국인들이었다. 이들은 주로 성벽 인근에 집단적으로 거주했는데, 이는 대부분의 과거 식민도시 인근에 조성되어 있는 차이나타운의 초기 형성배경이 되었다. 말라카에도 성벽의 외각으로 강을 건너면 차이나타운이 자리하고 있다. 이곳에는 정화의 원정을 기념하기 위한 조그마한 박물관이 있다. 소

7
차이나타운 거리모습.

정화의 보물선 내부.

박한 규모로 꾸며져 있는 이곳에는 정화의 원정에 관한 다양한 자료들이 전시되어 있다. 세계 각지의 문물을 싣고 가던 보물선을 모형으로 만들어 선원들의 생활 모습과 다양한 물건들을 살펴볼 수 있도록 꾸며 두었다. 아프리카에서 최초로 중국에 전해져 많은 사람들을 놀라게 했을 기린의 모형도 2층을 터서 실물크기로 만들어 전시하고 있다.

차이나타운의 진정한 모습을 주말 저녁에 볼 수 있다. 해가 저물기 시작하면서 시작되는 야시장은 각종 볼거리와 먹을거리로 차이나타운 두 블록을 가득 메운다. 각종 기념품은 물론이고 세상의 온갖 신기한 물건들이 눈길을 잡는다. 볼거리는 물건들뿐만 아니라 거리를 가득 메우고 있는 세계 각지에서 몰려온 관광객들이다. 다양한 나라에서 상인들이 교역할 물품을 싣고 와서 시장을 열었던 수백 년 전의 역사적 현장에 와있는 느낌이 들기도 한다. 말라카 강을 얼마쯤 거슬러 올라가면 말레이시아의 전통가옥으로 조성된 캄풍마을(Kampung)이 자리하고 있다. 근대식으로 깨끗하게 개조해 놓았지만 지상가옥이라는 전통적 말레이의 건축양식을 볼 수 있다. 그 인근에는 요란스러운 음악을 틀어놓고

⑨
말레이 전통가옥 캄풍.

⑩
리틀 인디아 거리.

분주한 삶을 살고 있는 인도인 집단 거주지(Little India)도 말라카 도시의 한 모습을 장식하고 있다.

　말라카의 도심을 약간 벗어난 곳에는 유럽인들이 자신들의 인종적 흔적은 남기고 간 포르투갈인 마을(Portuguese Settlement)이 있다. 대항해시대를 개척한 포르투갈인은 목숨을 건 험난한 항로를 거쳐 동남아에 도착했다. 그 수는 극히 소수였으며, 또한 모두 남성들이었다. 이는 식민지를 유지하는 데에 필요한 인력의 절대적 부족과 함께 선원과 군

인들의 성적인 욕구를 해결해야 하는 문제가 있었다. 이러한 문제를 해결하기 위한 방안으로 고안된 제도가 카사도(Casado)라고 하는 결혼정책이었다. 이슬람을 믿는 말라카 여성들은 외지인이자 기독교도인 포르투갈인과 결혼하는 것을 꺼렸기 때문에 신부들은 대부분 기독교도가 된 인도에서 데려온 여성들이었다. 이들의 후손들은 동남아에서 새로운 인종적 특성을 가진 집단으로 당시 동남아 통상언어로 이용되던 포르투갈어를 배워 무역거래에서 통역사 역할을 하기도 했다.

현지에서 만난 포르투갈인 마을 주민들은 그 모습이 말레이시아 현지인과 크게 다르지 않았지만, 자신들이 포르투갈인의 후예라는 정체성은 확고해 보였다. 카사도 정책에 의해 나타난 포르투갈의 후손들은 네덜란드가 말라카를 점령하면서 심한 인종적 차별과 함께 극심한 박해를 받았다. 당시에 대부분의 포르투갈 후손들은 박해를 피해 각지로 흩어졌다. 말레이시아가 독립된 이후 이곳에 정착지가 조성되면서 다시금 하나의 공동체로 남게 되었다. 포르투갈 이후에 말라카를 지배했던 유럽인들도 현지인과의 사이에서 많은 후손들을 남겼을 것이다. 오늘날 정착지에 살고 있는 '포르투갈인의 후예'는 유럽인과 현지인 사이에 태어난 혼혈인을 통칭하여 이르는 말로 사용하고 있다고 한다.

13 말라카 도심 백화점. 출처: 필자사진

말라카의 다채로운 모습은 오늘날에도 계속해서 진화하고 있다. 거대한 상선과 함포를 앞세워 요란스럽게 도래하여 자신들의 성채와 성전을 구축하던 옛 모습과는 달리, 그 모습을 싶게 드러내지는 않지만 많은 해외자본이 들어와서 말라카에 자신들의 흔적을 각인시키고 있다. 도시 인근에 조성되고 있는 고급 주택가는 주로 싱가포르 사람들의 투자로 이루지고 있다고 한다. 이웃한 싱가포르뿐만 아니라 도심에는 프랑스의 카르프, 미국의 맥도날드 등 서구 자본주의의 상징들이 수세기 전 유럽의 세력들이 남기고 간 흔적들 위에 자신들의 모습을 추가하고 있다. 이와 같이 역동적이고도 다채로운 말라카의 모습은 오랜 역사적 과정 속에서 어떠한 모습의 외부적 영향도 용인하고 수용하여 조화를 이루는 유연한 동남아의 지역적 특성을 잘 드러내고 있다. 말라카는 다양한 모양과 색채의 모자이크 조각들이 조화를 이루어 하나의 그림을 만드는 것처럼 아시아의 다채로운 모습을 대변하는 '진정한 아시아'의 모습을 발견할 수 있는 곳이다.

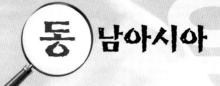

동 남아시아

선재동자 구법이야기

고정은

    대승불교 경전 중에서 가장 대표적이라 할 수 있는『화엄경』, 「입법계품」에는 선재동자(산스크리트어로 수다나 Sudana)가 53인의 선지식을 찾아가 질의문답을 통해 깨달음을 얻어가는 과정이 생생히 묘사되어 있다. 이와 같은 텍스트를 바탕으로 선재동자의 구도 활동을 시각적으로 표현한 작품이 아시아의 불교문화권 국가에 회화 혹은 조각으로 작품화되어 있다. 일본에서는 헤이안(平安) 말기부터 가마쿠라(鎌倉)에 걸쳐서 제작된 經典見返繪, 繪卷, 掛幅 등 꽤 많은 수의 유품이 있다. 한국에는 고려시대의 사경변상도나 수월관음도의 형식으로 제작되었는데, 선재동자가 28번째로 보타락가산에 거주하는 관음보살을 찾아가 법문을 듣는 장면을 표현한 수월관음도는 고려불화에서 중요한 위치를 차지한다. 중국에는 돈황에 9세기의 벽화에서 볼 수 있고, 이 외에 송대의 판화, 탁본, 부조 등이 알려져 있다. 또 네팔에서는 「입법계품」의 사본에 첨가된 회화가 있고, 서티벳의 벽화도 보고되었다. 그러나 중부 자바의 찬디 보로부두르에 남아있는 일련의 부조는 무엇보다도 406면이라는 패널에 대량의 장면으로 구성되어 있을 뿐만 아니라, 제작연대도 가장 오래된 것이기 때문에 선재동자의 구도편력에 관해 그 도상과 텍스트의 관계를 고찰하는데 가장 중요한 자료라 하겠다.

1 수월관음도. 고려후기. 일본 가가미 신사 소장.　2 그림 1의 선재동자 세부표현.

　　여기서는 관음보살을 찾아가 법문을 구하는 선재동자의 장면을 중심으로 살펴보도록 하겠다. 작품을 고찰하기에 앞서 관음보살에 대해 살펴보면, 관음보살에 대한 경전의 기술은 크게 두 가지가 있는데, 하나는 『화엄경』, 「입법계품」이고, 또 다른 하나는 『법화경』, 「관세음보살보

문품」이다. 선재동자가 53인의 선지
식 중에서 28번째로 방문한 관음보
살에게 법문을 청해 듣는 모습은 『화
엄경』, 「입법계품」에 근거한 것이다.
따라서 이 두 경전에 근거하여 관음
보살의 도상이 형성되기 마련인데,
다만, 현존하는 관음보살도를 살펴
보면 선재동자가 등장하는 수월관음
도 뿐이다. 이처럼 선재동자가 등장
하는 작품으로 대표적인 것이 '수월
관음도'인데, 특히 고려불화에서 즐

3 수월관음도. 일본 고잔지 소장.

겨 사용되던 아이템으로 보타락가산에 주거하는 관음보살을 찾아간 선
재동자가 합장예배하면서 법문을 듣는 모습을 그린 '수월관음도' 형식
의 작품이 다수 제작되었다.

고려불화에서는 보살도로서 관음보살과 지장보살이 다수 그려졌고,
특히 관음보살 중에서 수월관음이 주로 그려졌다. 수월관음도에서 선재
동자는 관음보살의 발아래에 연꽃과 산호 등과 함께 배치되는데, 두 손
을 가슴 앞에서 합장한 채 관음보살을 응시하는 모습이 너무나도 사랑
스럽다. 관음보살은 보타락가산에 주거하는데 바위 위에 반가부좌 자세
로 앉아 화면 하단의 선재동자를 응시하고 있는 것이 일반적이지만, 일
본 고잔지 소장의 작품처럼 결가부좌하고 시선은 선재동자를 향하지 않
고 정면을 응시하는 모습을 취하거나, 혹은 센소지 소장의 작품처럼 비
스듬히 서서 선재동자를 바라보는 형식도 보인다.

센소지 소장의 수월관음도에서는 대부분 관음보살이 바위에 앉아 있는 것에 반해, 촛불이 가늘게 타오르는 것 같은, 혹은 물방울 형태의 광배 안에 서 있는 자세로 묘사되어 있고, 고개를 숙인 관음보살의 시선 끝에는 관음보살을 우러러보며 합장예배하는 선재동자의 모습을 볼 수 있다. 수월관음도에서는 대부분 관음보살을 화면 중앙이나 바라보아 오른쪽에 매우 크게 표현하는 것에 반해, 선재동자는 그 맞은편의 가장 아래 부분에 겨우 눈에 보일만큼 작은 크기로 묘사하고 있다. 이 작품에서도 갖가지 보석과 보화 앞에서 합장예배하는 선재동자의 모습을 엿볼 수 있다.

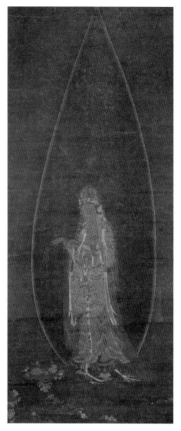

④ 수월관음도. 고려후기. 고려후기. 비단에 색. 크기는 142x 61.5cm. 일본 센소지 소장.

한편, 수월관음도에 표현된 선재동자는 말 그대로 동자의 모습을 취한 앳띤 모습도 있는 반면, 조금은 나이가 든 청년수행자와 같은 모습으로 표현되기도 한다. 의복은 바지와 같은 하의를 입고 그 위에 裙을

⑤ 선재동자 세부표현.

6 일본 다이토쿠지 소장 수월관음도의 선재동자 세부표현.

7 사이후쿠지 소장 수월관음도의 선재동자 세부표현.

짧게 걸친 듯 하며, 붉은색 바탕에 장식문양이 있는 화려한 천의를 걸치고 있다. 머리 모양은 일반적으로 앞머리 일부만 남기고 삭발을 하거나, 아니면 머리카락을 뒤로 빗어 묶거나, 위로 올려 끈으로 묶거나 리

8 서구방 필 수월관음도의 선재동자 세부표현. 고려시대. 1323년. 일본 센오쿠하쿠코칸 소장.

본처럼 장식을 단 모습 등 매우 다양하게 표현된다. 이처럼 선재동자는 대체로 총명하고 활력에 넘친 용모에 화려하게 장식된 의복, 목걸이나 팔찌 등의 장엄구의 표현으로 보아 귀인풍으로 표현되고 있는데, 이는 선재동자의 산스크리트어가 Sudana로 '풍족한 베품'이란 뜻이며, 또 선재동자의 출생 시에 갖가지 귀한 보배가 저절로 솟아났다고 하는 선재동자와 관련된 이야기

에 적합한 묘사라고 볼 수 있다. 두 발을 가지런히 모으고, 무릎을 약간 굽히고 서 있거나, 혹은 한 쪽 무릎을 세우고 꿇어앉아 가슴 앞에서 양손을 다소곳이 모아 합장하면서 화면 상단의 관음보살을 바라보는 모습에서 구법을 찾고자 원하는 선재동자의 간절함이 절로 느껴진다.

다음은 일본에 남아있는 작품을 살펴보자. 왼쪽 작품은 선재동자가 열 번째로 방문한 선지식인 승열바라문(산스크리트어 이름은 자요스마야트나이며, 방편명바라문이라고도 부름)과의 문답 장면이다. 승열바라문은 험준한 劍山의 단애절벽에서 고행을 하고 있었는데, 선재동자가 보살행에 대해 묻자, '이 험준한 산에 올라 활활 타오르는 불 속에 몸을 던지면 너의 보살행이 이루어질 것이다.'라는 답을 한다. 하지만 선재동자는 그와 같은 문답을

⑨ 華嚴五十五小繪. 10면 중에서 勝熱바라문을 찾아간 선재동자. 비단에 색. 75.8x48.5cm. 헤이안시대(10세기). 도다이지 소장.

⑩ 그림9의 선재동자 세부표현.

11 『華嚴五十五所繪卷』 중에서 普救衆生妙德主夜神(바라보아 왼쪽)과 喜目觀察衆生主夜神(바라보아 오른쪽)을 찾아간 선재동자. 도다이지 소장.

의심하고 그렇게 하는 것은 잘못된 것임을 깨닫고 다시금 구도의 길을 떠난다. 승열바라문 외에 2명의 선지식으로부터도 이러한 의심스러운 답변을 한 경우가 있는데, 바로 만족왕과 바수밀다라는 여성이다. 만족왕은 완벽주의자인데다가 많은 정치가와 병사를 거느라고 풍족한 치세를 했지만, 잘못을 저지른 사람에게는 잔혹하리만치 엄한 형벌(예를 들면, 손과 발을 자른다든지, 귀를 도려낸다든지 하는 비인간적인 처벌을 내림)을 내렸고, 바수밀다는 매우 아름다운 미모를 가진 여성으로서 선재동자에게 자신의 유혹을 받아들이면 도를 얻을 수 있을 것이라고 말한다. 결국, 승열바라문의 잘못된 가르침, 만족왕의 광폭함, 바수밀다의 애욕을 통해 선재동자는 다시금 자신을 자각하고, 올바른 보살행을 구하고자 여정을 떠나게 된다.

참고로 선재동자는 모두 55명의 선지식을 만나지만, 이 중에서 문수보살은 첫 번째와 53번째로 두 번 만나게 된 것이며, 51번째로 만난 덕

생동자와 유덕동자는 같은 곳에서 같은 법문을 하고 있어서 동일인물로 간주하면 결국 53인의 선지식을 만난 셈이다. 또 53인이 어떤 인물인지 살펴보면, 보살이 5인(문수·관음·미륵·보현), 비구스님이 5인, 비구니스님이 1인, 바라문이 2인, 道場之神이 1인, 선인이 1인, 천인이 2인, 野天이 8인, 동자가 3인, 동자의 스승이 1인, 海師가 1인, 장자가 10인, 의사가 1인, 여성이 10인, 외도가 1인, 왕이 2인이다.

일본 도다이지에 소장되어 있는 『華嚴五十五所繪卷』 중에서 33번째 선지식인 普救衆生妙德主夜神과 34번째 선지식인 喜目觀察衆

12 華嚴海會善知識曼多羅. 비단에 색. 세로 182.4cm, 가로 116.1cm. 가마쿠라시대(13세기). 도다이지 소장.

13 華嚴海會善知識曼多羅. 비단에 색. 세로 134.9cm, 가로 80.6cm. 중국 명대(15세기). 일본 도다이지 소장.

生主夜神을 방문한 선재동자를 묘사한 것이다. 산스크리트어로는 Samantagambhira-srivimalaprabha이며, 보덕정광야신 혹은 심심묘덕이구광명야천으로도 불린다. 보구중생묘덕주야신은 보살이 열가지 법을 구비하면 보살행을 원만하게 할 것이라고 답하고, 자신이 어떻게 그 보살행과 공덕을 다 알 수 있겠느냐고 하면서 희목관찰중생주야신을 선재동자에게 추천한다.

화면 상단 중앙의 노사나불은 특이한 수인을 짓고 있는데, 두 팔을 어깨 높이로 올리고 밖을 향해 벌려 손바닥이 위로 가게 손목을 뒤로 한껏 젖히고, 첫째와 둘째손가락을 맞대고 있다. 의복은 백의로 표현되기도 했으며, 화려한 영락으로 장식된 보관을 쓰고 정면을 향해 결가부좌하고 앉아 있다. 고잔지의 명혜화상이 1201년에 佛師로서 그림을 그린 이래로 널리 알려지게 된 구도라고 하며, 이 작품도 명혜화상의 선지식 만다라를 원본으로 했을 가능성이 높다고 한다. 중국 명나라 때 제작된 작품은 역시 동일한 구도로 순례장면은 북송 때 성립한 판본『문수지남도찬』의 도상과 유사하다고 하며, 중국에서 제작된 것이 판명된 작품이라고 한다. 이 두 작품은 상단에는 중앙에 노사나불과 그 좌우로 6개의 장면이, 그리고 하단에는 42개의 장면이 배치되어 있다. 한편 도다이지 개산당에서는 지금도 매년 4월 24일에 선지식공양 법회가 열린다고 한다. 개산당에 이 작품을 걸고, 법회의 서두에 55선지식을 권청하고, 끝부분에 55선지식의 이름을 부르면서 예배한다고 한다.

끝으로 20세기 초 러시아 탐험대에 의해 발견된 서하왕국의 수월관음도를 살펴보자. 중국의 송나라와 대립했던 서하는 중국의 변방 고비사막 부근에서 활약한 나라로, 러시아 탐험대에 의해 도읍지인 하라호토

14
수월관음도. 서하.
러시아 에르미타주박물관 소장.

에서 수월관음도를 비롯해서 아미타내영도 등과 함께 발견되었다. 보타
락가산의 바위 위에 두 발만 살짝 교차한 자세로 약간 비스듬히 앉아 있
는 관음보살의 모습과, 멀리서 찾아온 선재동자의 모습을 볼 수 있다.
지금까지 보아온 구도, 즉 바라보아 우측에 관음보살이 배치하고, 왼쪽
하단부에 선재동자가 표현되는 구도와는 정반대로 되어 있고, 채색에서
느껴지는 푸른 백의 색채감 등은 한국과 일본과는 다른 모습을 보여주
지만, 전체적인 면에서는 유사한 모습임을 알 수 있다.

이 글은 『수완나부미』 제 2권 제1호에 게재된 원고를 수정, 보완한 것이다.

붓다를 스토리텔링하다

고정은

붓다의 생애, 그리고 전생에서의 에피소드를 주제로 하여 조각 혹은 회화로 표현한 것을 불전(佛傳미술)이라 부른다. 불교미술이 시작된 인도 쿠샨시대에 이미 불전미술은 단독의 불상이 조성되기 이전

1 싱게르다르 스투파. 쿠샨시대. 파키스탄 스와트지역.

에 이미 스투파를 장식하는 장엄의 한 부분으로 널리 조성되었다. 아쉽게도 지금의 파키스탄에 남아있는 쿠샨시대의 스투파는 대부분 파손되어 불전도의 모습을 찾을 수 없지만, 박물관에 소장되어 있는 봉헌소탑을 통해 당시의 모습을 추정할 수 있다. 쿠샨시대에는 주로 북

서인도의 간다라와 중인도의 마투라를 중심으로 활발한 조영활동이 이루어졌는데, 인도 본토에서도 3세기초 경 남인도의 안드라(Andra) 지방을 중심으로 불교조영이 이루어진 사타바하나(Satavahana) 왕조와 익슈바쿠(Ikshuvaku) 왕조에서도 아마라바티(Amaravati) 불교유적과 나가르주나콘다(Nagrjunakonda) 불교유적을 중심으로 불전미술이 전개되었다.

2 아마라바티 불교유적지. 사타바하나시대. 남인도 안드라지방.

3 나가르주나콘다 불교유적지. 익슈바쿠시대. 남인도 안드라지방.

한편, 굽타시대로 접어들면서 불교조상의 중심은 중인도의 마투라와 북인한편, 굽타시대로 접어들면서 불교조상의 중심은 중인도의 마투라와 북인도의 사르나트로 옮겨졌고, 힌두교 미술과 더불어 불교미술 역시 융성한 발전을 보였다. 불전미술 역시 구성면에서 불교성지와 관련되어 사상도, 오상도, 팔상도 형식으로 표현됨으로써 작품을 통한 불교성지 순례라는 시각적인 효과를 극대화하고 있다. 더 나아가 사위성신변도(천불화현도)나 초전법륜도 등 사르나트와 관련이 깊은 주제를 대상으로 한 작품이 단독으로 표현되는 매우 독특한 양상을 나타내고 있다. 특히, 붓다의 생애에서 가장 중요한 8가지 장면을 모아서 표현한 팔

4 봉헌소탑. 로리안 탕가이 출토. 쿠샨시대. 켈커타인도박물관. 5 시크리 스투파. 시크리 출토. 라호르박물관.

상도는 다음의 팔라시대에까지 이어졌으며, 불교미술의 전파에 따라 동아시아로 전파되어 중국 및 한국, 그리고 일본에 이르기까지 오랜 세월에 걸쳐 도상이 전파되어 갔음을 알 수 있다. 또한 동남아시아로도 전래되어 인도네시아의 보로부두르 사원의 불전도를 비롯하여, 태국의 드바라바티 미술, 그리고 미얀마의 버강 왕조에서 나타나는 불교회화 및 조각을 통해 다수의 불전미술 작품이 조성되었다. 특히 미얀마에서는 비상형식에 팔상을 표현한 팔상도가 몇 점 제작되었는데, 그 구성이 인도 팔라시대의 팔상도와 동일한 점에서 인도와의 관련성을 파악할 수 있다는 점은 '불교미술의 도상전파' 뿐만 아니라 문화교류사적인 면에서 매우 중요한 자료가 된다. 즉, 불전이라는 주제를 통해, 인도에서 시작된 불전미술의 동아시아 및 동남아시아로의 전개과정을 한눈에 파악할 수 있고, 시대별, 지역별로 나타나는 다양한 도상을 분석, 비교해 감으로써 도상의 전파 루트뿐만 아니라, 인도와 동아시아 혹은 인도와 동남아시아 간의 구체적인 자료(작품)를 통한 문화의 전파 루트를 추정하는데 매우 중요한 자료가 될 것이다.

6 사상도. 람나가르 출토. 쿠샨시대 마투라. 마투라박물관.

그럼 붓다의 일생을 시각적으로 표현한 인도의 작품부터 살펴보자. 인도 불교미술 속에서 불전미술이 차지하는 위치는 파키스탄 및 인도를 비롯한 해외의 박물관이나 미술관에 전시되어 있는 작품 수를 보더라도 분명히 알 수 있다. 파키스탄 스와트 지역의 싱게르다르 스투파에서 볼 수 있듯이 현재 원형의 모습을 그대로 간직하고 있는 스투파는 거의 없

7 오상도. 라지가트 출토. 쿠샨시대. 마투라박물관.

8 팔상도(원형부분). 마투라 출토. 쿠샨시대. 마투라박물관.

지만, 다행스럽게도 로리안 탕가이 봉헌소탑이나 일본 나라국립박물관 불전도처럼 이른바 봉헌소탑의 형식으로 남아 있는 작품이나, 라호르박물관의 시크리 스투파의 13장면의 불전부조도, 그리고 불전도 속에 표현된 스투파의 모습 등을 통해 유추해보면, 불전부조도가 주로 스투파의 기단부나 드럼부 등에 주로 장엄되어 있던 것을 알 수 있다.

쿠샨시대 간다라와 거의 동일하게 불교조상의 제작이 이루어진 마투라에서는 간다라에 비해 작품 수는 얼마 안 되지만, 불전장면 중에서 불교성지와 관련된 중요한 장면을 중심으로, 탄생, 항마성도, 첫설법, 열반이 표현된 사상도(四相圖)와 사상도에 '삼도보계강하'가 추가된 오상도(五相圖), 그리고 사상도에 '법당 안에 좌정한 붓다(추정)', '삼도보계강하', '사천왕봉발', '제석굴설법'이 추가된 팔상도(八相圖)의 형식으로 전개되고 있다.

다만, '팔상(八相)'의 경우 사상도의 주제를 제외한 나머지 네 장면들은 굽타시대 사르나트 이후에 유행한 팔상의 주제와는 사뭇 다른 양상을 보이고 있어서 팔상이 정착되기 이전의 과도기적 양상을 보이고 있음을 알 수 있다. 굽타시대의 사르나트에서 제작된 팔상도에는 '사상'의 장면에 '사위성신변', '술 취한 코끼리를 조복하는 붓다', '붓다에게 꿀 공양을 하는 원숭이', '삼

9 팔상도, 사르나트 출토, 굽타시대(5세기 말경), 사르나트고고박물관.

10 석가팔상도. 파트나 출토. 팔라시대(14세기경). 캘커타인도박물관.

십삼천에서 내려오는 붓다'라는 네 장면을 추가하였고, 이와 같은 '팔상'의 구성은 다음시대인 팔라 왕조에서도 동일하게 계승됨으로서 '팔상'이 도상적으로 정립된 시대였다고 볼 수 있다. 특히 미얀마의 버강 시대에서도 팔라시대의 '팔상도'와 동일한 구성을 가진 작품이 출토하는 점에서 당시 동남아시아와 인도의 문화교류사 측면에서 매우 중요한 자료라 할 수 있다.

굽타시대에 이어 등장한 팔라시대에는 비상형식의 화면에 팔상을 표현한 석가팔상도가 다수 조성되었는데, 굽타시대 사르나트 팔상도와 달리, 각장면의 크기가 동일한 것이 아니라, 중앙에 항마성도 장면을 크게 조성하고, 그 주위에 나머지 일곱 장면을 나타내고 있다. 배치순서를 보면, 맨 아래 부분에는 바라보아 왼쪽에 '탄생' 장면을 배치하고, 맨 위쪽에 '열반' 장면을 배치한 것 이외는 정해진 순서 없이 배치되고 있다. 굳이 말한다면, 붓다의 좌세(입상, 좌상 등)에 따라 좌우 대칭으로 배치되어 있는 정도이다. 또한 석가팔상도 이외에 '붓다에게 꿀을 공양하는 원숭이', '술 취한 코끼리를 조복하는 붓다', '열반' 등의 불전 주제도 단독으로 조성한 예도 있다.

그렇다면 굽타시대 사르나트의 불전부조도의 미술사적 의의는 어디서 찾을 수 있을까. 도상적인 면에서 굽타시대 사르나트의 불전부조도는 앞 시대의 쿠샨 마투라의 불전주제와 표현기법을 기본적으로 계승하면서, '마야부인의 꿈' 장면에서의 하강하는 '흰 코끼리의 표현', '목욕' 장면에서의 용왕의 표현, 고행상을 표현하는데 있어서 쿠샨 간다라와 같은 참혹스러울 정도로 수축한 모습이 아닌 일반적인 불좌상의 모습으로 표현한 점, '항마성도' 장면에서의 까마데바와 그 상징인 마카라의 머리를 꽂은 막대기를 잡고 있는 시자의 표현 및 대좌 앞면의 지신(地神)의 표현, 삼보보계강하 장면에서 인드라와 브라흐마만을 대동하고 표현된 점 등 각 장면마다 독특한 도상형식을 보이는 점에서 굽타시대 사르나트 독자의 도상적 특징을 구현하고 있다고 하겠다. 이러한 점은 앞시대의 쿠샨 마투라에서도 이미 엿보이는 시작한 것으로, 불전미술에 있어서 서북인도의 쿠샨 간다라의 도상과 중인도 마투라와 북인도의 사르나트에서의 양상이 달랐던 점을 알 수 있다.

특히 사상도의 표현에 있어서 불전의 주제는 쿠샨 마투라의 영향을 받았지만, 화면구성 면에서는 남인도 안드라 지방의 아마라바티에서 제작된 상하 수직으로 전개하는 사상도의 형식을 보이고 있는 점도 흥미롭다. 또한 사상도와 팔상도의 각 장면들은 붓다와 관련이 깊은 불교성지에서 일어난 일을 주제로 삼고 있는데, 룸비니에서의 '탄생' 장면, 보드가야에서의 '항마성도' 장면, 사르나트에서의 '초전법륜' 장면, 쿠시나가르에서의 '열반' 장면으로 구성된 사상(四相)에, '쉬라바스티(사위성)에서의 대신변', 상카샤에서의 '삼십삼천에서 내려오는 붓다(삼도보계강하)', 라자그리하에서의 '술 취한 코끼리를 조복시킨 붓다(취상조복)', 바이샬리에서의 '원숭이의 꿀 공양(미후봉밀)'의 4장면으로 추가되어 팔상의 형식으로 구성되어 있다. 이들은 단순히 불전 속의 중요한 일들을 정리해 놓은 것이 아니라 보는 이들로 하여금 탄생에서 마지막 열반에 이르기까지 순차적으로 추적해 감에 따라서 불교성지를 자연스럽게 탐구해가는 시각적인 효과를 더해주고 있다고 하겠다.

쿠샨시대 간다라에서 성행한 불전미술은 시대가 내려오면서 점차 그 규모가 축소되었지만, 굽타시대 사르나트에서는 다른 불교조상의 제작과 함께 불전미술이 성지순례라는 의미에서 중요한 역할을 차지하고 있다. 쿠샨시대 중인도의 마투라에서 비롯된 사상(四相)에 관계된 불교성지 룸비니(탄생), 보드가야(항마성도), 사르나트(초전법륜), 쿠시나가라(열반)의 4대성지에 바이샬리(미후봉밀), 라자그리하(취상조복), 쉬라바스티(사위성신변), 상카샤(삼십삼천에서의 강하)에서 일어난 에피소드가 첨가되어 완성된 팔상도는 이후 팔라시대에 계승되어 도상의 정착화에 크게 기여하였다. 또한 붓다의 숨결을 느낄 수 있는 대표적인 불교성지를 부조도의 형식으로 시각화함으로서 마치 불교성지를 순례하고 있는 듯한 효과를 얻어냄과 동시에, 사르나트 지역과 관계가 깊은 불전주제인 '초전법륜'과 '사위성신변' 등의 단독 주제가 독립된 불전부조도로 제작되고 있는 점은 불전도에서 단독상으로의 도상확립에 큰 영향을 끼친 점에서 매우 중요하다. 이와 같은 인도불전미술의 양상은 이후 동 남아시아에 전파되어 수용, 변용되는 과정을 겪게 되었고, 이는 인도네시아의 보로부두르 사원이나 태국의 드바라바티 미술, 그리고 미얀마의 버강시대 사원 벽화나 조각을 통해 확인할 수 있다.

마지막으로 동남아시아의 불전미술 중에서 몇 점을 살펴보자.

버강의 쿠뱌웃치 사원 서쪽 벽에 붓다가 삼십삼천에서 인드라

11 삼십삼천에서 내려오는 붓다. 버강 왕조(12세기), 미얀마, 버강, 밍카바 쿠뱌웃치 서벽.

(제석천)와 브라흐마(범천)의 호위를 받으며 속계(상카샤)로 내려오는 장면, 즉 '삼도보계강하'를 표현한 작품이 있다. 화면 중간정도에서 바라보아 오른쪽 위에서 비스듬히 그려진 사다리가 있고, 중앙에 구름 위의 연화 위에 선 붓다의 모습이 보인다. 짙은 자주색의 승복을 편단우견으로 착용하고, 왼손을 왼쪽 어깨 앞으로 들고, 오른손은 오른쪽 앞쪽으로 내밀고 있다. 혹은 여인원으로 보아도 될지 추정해 보지만, 손목부터 끝이 박락되어 있어서 판단하기 힘들다. 붓다의 오른쪽 뒤에는 범천이 산개를 받치고 따르고 있다. 범천은 고계관(高髻冠)을 쓴 삼면으로 표현되어 있고, 신체는 희게 채색되어 있다. 왼손 앞의 제석천은 붓다를 우러러보는 모습으로 양손은 합장하고 있는 듯이 보인다. 제석천의 앞에 서서 선도를 하고 있는 것처럼 보이는 인물이 있다. 두광이 있고, 보관을 쓴 점에서 천부(天部)라고 생각되지만, 존격은 분명치 않다. 다만 붓다를 따르는 범천이 갖는 불자와 물병을 지니고 있어서 범천의 시자라고 추정할 수 있다. 또 범천의 배후에도 합장하면서 붓다를 바라보는 인물이 보이지만, 이것 역시 존격은 알 수 없다. 화면 전체의 암적색의 배경과 석가와 천부의 황토색으로 칠해진 신체의 색감과의 대비가 매우 아름답다. 한편, '삼십삼천에서 내려오는 붓다'를 주제로

12 삼십삼천에서 내려오는 붓다. 버강시대. 미얀마 버강고고박물관.

한 작품은 불화의 형식뿐만 아니라 조각으로도 표현되었다. 앞서 살펴본 불화보다는 덜 화려하고 구성면에서도 상당히 단순화되었지만, 정면에 붓다를 배치하고 그 아래에는 사다리를 표현함으로서 상카샤로 내려오는 붓다의 모습을 묘사하고 있다. 좌우에 인드라와 범천을 배치하였는데, 흥미로운 점은 산개를 쥐고 있는 것이 불화의 작품과는 달리 인드라(제석천)가 잡고 있다는 점이다. 이것은 불교경전이라는 텍스트의 또다른 버전에 의한 것인지, 혹은 작가의 상상력에 따른 것인지 좀더 검토할 필요가 있을 것이다.

다음으로 목면에 그려진 불화가 있는데 이 작품은 1984년 3월에 315라는 번호가 붙여진 사원내부에서 발견되었다. 이 작품의 용도는 원래 사원내부에 걸려 그림을 해독할 때 이용되었다고 생각된다. 발견 당시에는 포개져 있는 상태로 바닥에 방치되어 손상도 매우 심했지만, 이탈리아에서 수복된 후에는 버강고고관리국에서 담당하고 있다. 수복보고서에 따르면 이 불화는 목면의 천에 백토를 발라서 바탕면을 만들고, 그 위에 먹으로 밑그림을 직접 그렸음을 알 수 있다. 신체의 윤곽선은 먹(墨) 내지 붉은색(朱)으로 엷게 그리고, 얼굴 및 신체의 세부, 의복, 장신구 등은 보라색 혹은 먹으로 마무리했다. 이 외에 웅황(雄黃), 황토, 녹청, 남색(藍), 먹 등이 안료가 사용되어 매우 화려하고 장대하게 묘사되었음을 알 수 있다. 이 작품의 구성은 옆으로 다섯 층으로 나뉘어 있고, 각 층마다 본생담을 주제로 한 설화가 그려져 있고, 각 장면의 아래에는 박락이 심하긴 하지만 주제명이 묵서로 기록되어 있음을 확인할 수 있다. 가장 위쪽의 왼쪽 한 구석에는 나무아래의 대좌에 앉아 두 사람을 향해 설법하는 인물이 표현되어 있다. 한편, 같은 상단의

315 사원에서 발견된 불화의 한 장면. 미얀마. 버강국립박물관.

중앙에는 정사 안에서 두명의 제자에게 에워싸인 붓다가 결가부좌하고 전법륜인을 짓고 있다. 정사 밖에서도 합장하는 승려들이 상하 2단으로 그려져 있다. 이 부분을 도솔천에서의 정당보살(淨幢菩薩)에 의한 설법이라고 해석하는 설도 있지만, 좌우의 설법도의 상관관계나 소의경전이 밝혀진 것은 아니다. 설법하는 장면은 각 층마다 배치되어 있고, 두광이 표현된 많은 청중들이 합장을 한 채 설법을 듣는 장면이지만, 붓다의 설법장면이라고 분명히 말할 수 있는 것은 가장 상단의 장면뿐이며, 그 외의 장면에 대해서는 분명치 않다. 사람을 잡아먹고 있는 나찰녀라 추정되는 모습도 눈에 띄지만, 그 근거는 아직 부족하다. 이 작품처럼 설화장면을 수평방향으로 전개시킨 방법은 고대 인도에서부터 나

타난다. 또한 불전장면을 옆으로 구획을 지어 화면을 수직방향으로 전
개시키는 예는 인도의 안드라 지방에서도 나타나며 후대의 벵갈지방 혹
은 네팔에서도 볼 수 있다. 이 작품에 대해서는 아직 연구할 부분이 상
당수 남아 있고, 명문의 서체 등 포괄적으로 고려해야 할 점이 많은 관
계로 정확한 편년을 내리기는 어렵지만, 버강시대 초기로 우선 볼 수
있을 것이며, 앞으로의 구체적인 연구가 기대된다.

이글은 『수완나부미』제1권 제2호에 게재된 원고를 수정, 보완한 것이다.

동남아시아 청동북

김인규

　동남아시아는 2차 세계대전 이후 독립한 10개국으로 구성되고 있다. 중국과 연결된 대륙부에는 베트남, 라오스, 캄보디아, 타이, 미얀마가 있고, 해양부에는 말레이시아, 인도네시아, 필리핀이 있다. 대륙부에 위치한 베트남, 라오스, 캄보디아 등은 중국 운남성(雲南省)과 경계를 이루고 미얀마는 중국 및 인도지역과 연결되어 있다.

　이와 같이 동남아시아는 지정학적으로 중국과 인도등 인접국가와 밀접한 교류를 유지하면서 자연과 종교에 기초하여 고유한 문화를 발전시켜왔고 베트남, 라오스, 타이지역은 중국 남부의 고대 문화를 수용하여 자국의 문화를 발전시키는 토대로 삼았다.

　동남아시아 청동기문화는 중국과 밀접한 관계에 놓여있고, 동남아시아 청동기 문화의 정수라고 할 수 있는 청동북은 중국 문화와의 영향관계를 보여주는 좋은 예라고 할 수 있다. 동남아시아 청동북은 BC

5세기 전후에 제작된 것으로 여겨지고 베트남 북부를 중심으로 라오스 북부, 타이 동북부, 그리고 인도네시아 등 해양부의 유적에서 출토되고 있다.

현재 동남아시아와 중국 남부의 청동북은 중국 양자강지역에서 인도네시아, 벵갈만에 이르기까지 넓은 범위에 분포되고 있고, 베트남 북부와 중국 남부 운남지역에서 주로 발굴되고 있다. 베트남에서 발굴된 청동북은 400여점이 남아있고, 동남아시아 청동북과 밀접한 관계를 지닌 중국의 청동북은 현재 약 1500여점이 발굴되어 광동, 광서, 상해, 운남, 귀주 등에 보관되어 있다.

이러한 동남아시아 청동북은 BC 5세기 전후에 베트남 북부지역에서 제작되어 카렌족에 의해 20세기까지 제작된다. 본 논문은 동남아시아 초기 금속문화를 연구하는데 매우 중요한 위치를 차지하고 있는 청동북에 대하여 기초적인 형식분류를 토대로 동남아시아 지역에서 청동북의 기원과 전개과정을 살펴보아 역사적으로 중국 문화권에 놓여있었던 동남아시아 지역에서 금속문화가 어떠한 발전과정을 보이고 있는지를 그 기원과정을 중심으로 살펴보고자 한다.

특히 기원 전후 동남아시아의 조형문화에 중국 전국시대와 한대의 요소가 수용, 변용되는 과정은 베트남 북부와 라오스 북부와 타이 동북부에서 만들어진 청동기와 도자기를 통해 알 수 있고, 베트남 북부와 중부에 걸쳐 놓여 있는 동선문화는 동남아시아 청동문화의 주요 유적로 전국시대와 한대의 조형문화가 베트남 지역에 미친 영향을 파악하는 데 매우 중요한 의미를 가지고 있다고 할 수 있다.

동남아시아 청동북의 형식분류

동남아시아의 청동북에 대한 고고학적인 조사는 19세기 후반 서양의 학자에 의해 이루어졌고 주목할 만한 연구로는 히르쓰(F. Hirth)(1891) Alte Bronzepauken aus Ostasien, 메이어와 포이(A. B. Mayer와 W Foi) (1897) Bronzepauken aus Sudostasien, 프라츠 헤거(Franz Heger) (1902) Alte Metalltrommeln aus Sudost-Asien, 칼그랜(B. Karlgren) (1942)의 The date of the early Dong-Son Culture 등이 있다.

이와 같이 19세기 후반에 유럽의 학자들이 의하여 시작된 청동북의 연구는 1902년 헤거에 의하여 청동북의 형식분류에 이르게 된다. 그는 청동북을 4개의 형식(I, II, III, IV)으로 분류한다. 그의 청동북의 형식분류는 시기적으로 I, II, III, IV의 순서를 보이지 않고 I형식에서 II형식과 IV이 파생되고 III형식은 I식과 다른 새로운 것으로 분류되어 있다.

그리고 최근 중국 남부와 베트남 북부와 라오스, 인도네사이 등에서 헤거의 분류에 포함되지 않은 청동북이 출토되어 청동북의 형식분류는 보다 구체적으로 이루어지고 있다. 중국 측의 청동북의 형식분류는 II식이 I식에서 파생했다는 헤거의 생각에 동의하지 않고, II식을 I식과 같이 고식으로 간주하였으나 1970년대 II식의 청동북이 거의 출토되지 않아 I식보다 II을 고식으로 생각했다.

그러나 1970년 후반 석종건(石鍾健)은 I식의 만가패형(万家覇型)의 청동북이 발견되면서 I식의 만가패형이 기형과 문양이 간소하여 최고

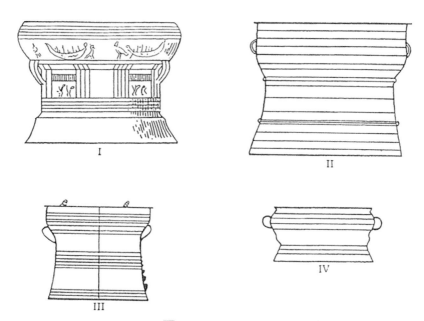

1 Heger 청동북의 분류

식으로 간주하기에 이른다. 반면, 베트남 학자들의 형식분류는 헤거가 동선청동북을 최고식의 Ⅰ류로 했던 형식분류에 기본적으로 충실하면서 여러개의 특징을 가진 특수형으로 세분하였다.

표 1 청동북의 형식분류

1902	Franz Heger	Ⅰ				Ⅱ		Ⅲ	Ⅳ
1974	洪聲	Ⅲ				Ⅱ	Ⅰ		
1983	石鍾健	1 万家覇型	2 石寨山型	3 冷水冲型	4 遵義型	6 靈山型	7 北流型	8 西盟型	5 麻江型

동남아시아 청동북의 기원

동남아시아 대륙부의 베트남, 라오스, 타이의 청동기 문화는 이전부터 주목을 받아왔으나 이 지역의 청동기 문화의 기원과 발전 및 편년등은 연대측정 등 과학적인 연구방법이 강구되고 있지만 아직 분명하지 않은 점이 많다.

이러한 상황에도 불구하고 베트남, 라오스, 타이의 북부는 중국 남부 운남지역과 지역적으로 가까워 중국으로부터 문화적인 영향을 받았을 가능성이 높다. 특히 베트남 홍하델타지역, 타이 동북지방에서 출토된 청동북이 운남 지역의 청동기의 종류, 형태, 장식등과 유사하여 이 지역이 동일한 문화권에 있었다는 것을 알려주고 있다.

동남아시아에서 청동기문화는 기원전 2000년 경 베트남 홍하(紅河) 델타지역에서 탄생했다고 전해지고 있다. 그리고 동남아시아의 금속기문화의 탄생과 연결된 베트남 금속기의 문화는 풍응우엔(Phung Nguyen) → 동다우(Dong Dau) → 고문(Go Mun) → 동선(Dong Son)의 4단계로 진행되었고. 풍응우엔의 시기는 중국 춘추시대 후기에서 전국시대 전기, 동다우는 전국시대 전기에서 중기, 고문은 전국 중기에서 후기, 동선은 전한에서 후한으로 설정되고 있다.

베트남 금속기 시대의 후반을 장식하고 중국의 한대와 동시대인 동선 문화는 1920년대 타인호아(Thanh Hoa)성의 북부지역에서 발견되어 독특한 청동기로 많은 관심의 대상이 되었다.

그리고 청동북은 중국 남부와 베트남 북부에서 상당량의 청동북이 발견되고 있다. 중국의 청동북은 광서(廣西), 광동(廣東), 운남(雲南), 귀주(貴

州), 사천(四川), 산동(山東), 절강(浙江)지역 등에 보관되어 있다. 베트남에서 발견된 청동북은 약 400여개로 그 중 140여개가 동선 청동북이다.

② 헤거 I 식 청동북 하노이 역사박물관

③ 그림 1의 상부

베트남 청동북에 관한 기술은 후한서에서 보인다. 후한의 장군 마원(馬援)이 건무(建武) 20년(AD 44) 말타는 것을 좋아하여 베트남(교지交趾)에서 청동북을 확보하여 마식(馬式)으로 만들었다는 기록이 있다. 그 밖에 베트남 청동북에 관한 기록은 베트남의 고문헌인 『越甸幽靈』, 『嶺南庶怪』, 『大越史記全書』 등에 보인다.

동남아시아 청동북에 관한 연구는 19세기 후반 서양의 학자들에 의해 주로 이루어졌다. 대표적인 학자로 쉬멜츠(J.D.E. Schmeltz), 히르쓰(F Hirth), 메이어(A.B. Mayer), 프란츠 헤거(Franz Heger), 칼그렌(B., Karlgren) 등이 있다. 쉬멜츠와 히르쓰는 청동북의 기원에 대하여 인도와 중국으로 제시하고 메이어는 캄보디아에서 청동북이 처음 제작되었다고 밝히고 있으나 이들의 견해는 문헌이나 발굴품 등을 제시하지 않아 그 한계는 뚜렷하다.

그리고 그루트(J.J.M. De Groot)는 중국의 역사서를 넓게 연구하여 청동북이 중국 남부지역의 야만인들이 처음 제작했다고 밝혀, 이후 프란츠 헤거(Franz Heger)의 연구의 중요한 배경이 되었다. 그리고 1920년대 프랑스 극동학원에 의하여 베트남 북부지역의 분묘의 발굴이 이루어지면서 상당수의 청동북이 발굴되어, 고루브(V. Goloubew)는 베트남에서 발굴된 청동북을 중국의 것과 비교하여 청동북이 동선(Dong Son)지역을 중심으로 중국 장인(匠人)의 도움을 받아 베트남 북부지역에서 제작되었다고 밝히고 있다.

1924년 칼그랜(B. Karlgren)은 청동북의 문양을 구체적으로 분석하여, 청동북이 전국시대의 청동기문화로부터 유입되었다고 주장하고 제1시기의 청동북의 년대를 기원전 3. 4세기로 설정한다. 나아가 하이네 겔데른(Heine Geldern R)은 칼그렌(B. Karlgren)의 청동북의 전파론적인 연구를 계승하여 동남아시아의 청동북이 중국의 청동북에서 기원하고 있다고 밝히고 있다.

· 동선문화의 상한시기를 전국시대(戰國時代, BC 8~5c)에 두는 것은 칼그렌이후 얀센(O. Janse), 우메하라스에지(梅原末治) 등에 의하여 이루어졌고, 우메하라스에지는 인도네시아에서 출토되고 있는 청동창(戈)을 모아 청동북의 년대를 추정하는 근거자료로 사용하였다.

준순성(凌純聲, Ling Shun Sheng)은 고대문헌에 보이는 청동북에 관한 사료를 모아, 청동북이 호남성(湖南省), 사천성(四川省)에서 주로 보이는 사실을 확인하고 청동북의 기원이 강서(江西), 호남(湖南)에 걸친 양자강 중류에 있다고 주장하고 있다.

베트남 학자에 의한 청동북의 연구는 1970년 후반에서 1980년에 걸쳐 많은 연구성과가 발표되었고 1980년 중국측에서 중국고대동고연구회(中國古代銅鼓硏究會)가 발족되면서 청동북에 대한 중국과 베트남 학자간의 논쟁은 본격화되기에 이른다.

중국과 베트남의 청동북에 대한 논쟁은 정치적인 범주에서 출발한 면도 있지만 논쟁의 핵심은 청동북의 기원에서 출발한다. 중국 학자들은 청동북이 중국 남부의 운남에 거주하는 민족에 의해 만들어졌고 주변의 민족에 의해 채용되었다고 주장하였지만, 베트남 학자들은 기본적인 전제로서 청동북은 낙월(雒越, Lac Viet)족이 만든 것으로 남중국과 동남아시아로 확대되었다고 주장하고 있다.

중국과 베트남의 학자들은 청동북에 대한 분류에서 많은 시각차이를 보이고 있다. 베트남 학자들은 동선의 청동북을 가장 오랜된 것으로 분류한 헤거(Heger)의 분류법에 기초하여 동선의 청동북의 I 식을 기조로 구체적인 분류를 제시하고 있다.

그러나 중국 학자들은 헤거의 분류법이 오류가 많고 최근 중국 남부에서 발굴되고 있는 청동북을 근거하여 헤거의 가장 오래된 I 식은 헤거의 II 식에서 파생했다고 주장하여 헤거의 분류와 그것을 기초로 하여 만들어진 베트남 청동북의 분류를 정면에서 거부하기에 이른다.

그리고 중국 학자들은 1970년 중후반에 운남성 만가패(雲南省 万家覇)의 발굴에서 헤거 I 식의 청동북이 발굴되자 중국 학자들은 만가패유적의 청동북이 형태와 장식이 간단하여 헤거 I 식의 이전것으로 해석하여 청동북의 시원이 운남지역에서 만들어졌다고 주장하기에 이른다. 운남지역에서 헤거 I 식 이전의 선(先) I 식 청동북이 발굴된 곳은 상운현대파나묘(祥雲縣大波那墓)나 초웅현만가패묘(楚雄縣万家覇墓)로 기원전 5세기를 상한으로 한다.

그러나 베트남 학자들은 청동북의 기원이 운남에서 출발한다는 일련의 중국 학자 왕녕생(汪寧生), 석종건(石鐘健)의 주장에 대하여 베트남 학자들은 근거가 없다고 비판했다. 이들은 만가패유적의 청동북은 베트남에서도 발견된 것으로 시대가 내려오는 조질의 것으로 간주하고, 동손 청동북의 하나의 예로 간주했다.

그러나 베트남 동선문화는 유적에서 오수전(五銖錢)과 화천(貨泉)의 동전이 출토하여 동선문화가 전한과 후한시기와 걸쳐 있다는 것을 알려주고 있고 상한은 동일한 청동기가 출토되고 있는 운남 석채산(雲南 石寨山) 유적의 시기인 전한 전반으로 생각된다.

그 밖에 동선문화의 청동기로 청동북이외 도끼, 검, 창, 농기구, 거울, 화폐 등이 있다. 이중 청동 도끼는 호남, 광서, 운남, 사천, 절강 지역에서 출토된 청동도끼와 유사하여 베트남 북부를 비롯하여 동남아시아 청동도끼의 기원이 중국 남부지역에서 출발하고 있는 것을 알 수 있다.

4 동선 청동도끼 탄호아 (Thanh Hoa)성   5 호남성박물관 청동도끼   6 청동도끼 廣西壯族自治區博物館

이와 같은 사실로 베트남 북부와 중국 남부 운남지역에서 발굴된 청동북이 전국시대의 청동북의 흐름과 유사하고 나아가 형태와 문양이 중국 남부지방에서 출토된 청동북과 동일하여 동남아시아의 청동북의 시원은 중국 전국시대 남부지역에서 제작된 청동북과 깊은 연관이 있는 것으로 여겨진다.

동남아시아 청동북의 전개

헤거 I 식에서 헤거 II 식으로 – 베트남 중부지역 출토 청동북 –

헤거 I 식의 청동북을 계승한 헤거 II 식의 청동북이 베트남 중부, 남부 라오스, 캄보디아, 말레이시아 등지에서 발굴되고 있다. 베트남 중부지역에서 발굴된 헤거 II 식의 청동북은 빈딘(Binh Dinh) 의 짠단(Chanh Danh), 고옹란(Go Ong Lanh), 앙응아이(An Ngoai), 고티(Go Thi) 등에서 10여개가 발굴되고 있다.

베트남 중부지역의 짠단(Chanh Danh)는 해안에서 가까운 지역으로 청동북의 상부만이 남아있다. 북의 직경은 62.0cm로 북의 정중앙에는 12개의 가지를 가진 태양을 의미하는 문양이 놓여있다. 그리고 12개 가지의 사이에는 V자선이 중첩되게 시문되어 있다.

나아가 북의 중앙에 새겨진 문양을 중심으로 북면의 바깥으로 이등변삼각형, 이중원(二重圓), 짧은 직선, 새의 날개를 가진 사람문양(羽人文), 새의 문양, 짧은 직선, 이중원, 짧은 직선 등이 기하학적으로 빽빽하게 시문되어 있다. 그리고 북면의 가장자리에는 4 마리의 청개구리가 시계 반대방향으로 놓여져 있다.

새의 날개를 가진 사람의 문양(羽人文)은 음각으로 새겨져 촘촘하게 일렬로 나열되어 있고, 헤거 I 식 청동북에서 보이는 독립적이고 구체적으로 표현된 우인문에서 발전한 것으로 여겨진다. 그러나 우인문은 3세기 이후에는 스탬프(도장)로 표현되어 표현이 간략화되고 평면적으로 바뀌게 된다.

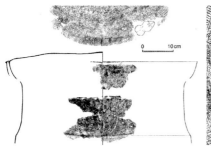

7 베트남 중부 찬단(Chanh Danh)출토 청동북

그리고 빈타잉(Vinh Thanh) 딘 트엉(Dinh Thuong) 부락에서 청동북이 발굴되었다. 북의 직경은 70.4cm이다. 북의 가장자리에는 4마리의 개구리가 시계 반대방향으로 놓여있다. 북의 중앙에는 태양을 의미하는 10개의 광선이 불가사리처럼 표현되어 있고 각 광선의 사이에는 V자 모양의 선이 중첩되어 있다.

북면의 중심에서 바깥으로 불규칙한 삼각형 그리고 작은 원 그리고 일자형 선문 그리고 날개를 가진 사람 그리고 6마리의 새문, 일자형 선문, 원문, 일자형 선문이 구획되어 시문되어 있다.

그리고 떠이선(Tay Son)현(縣) 빈 떤 투언 닌(Binh Tan Thuan Ninh) 부락에서 청동북이 발견되었다. 북면의 지름은 63.7cm이다. 북면은 중앙에 태양문을 중심으로 그 바깥에는 간략화된 날개를 가진 사람이나 날아가는 새문 등이 표현되어 있다. 그밖에 고티(Go Thi)에서 발견된 청동북에는 한자 중(中)과 복(卜)이 보이고 있어 이 청동북이 만들어진 시기에 베트남 중부에서 한자가 일부 통용된 것을 알 수 있다.

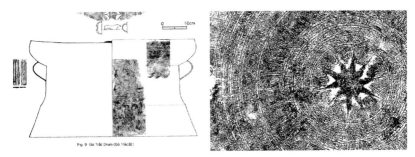

8 베트남 중부 빈타잉(Vinh Thanh) 딘 트엉(Dinh Thuong) 출토 청동북

이와 같이 고티(Go Thi)지역에서 발견된 청동북에 한자가 보이는 것은 당시 청동기를 사용했던 주요 계층이 한인(漢人)이었거나 청동기를 제작했던 공인(工人)중에 한인들이 속해져 있을 가능성을 보여주는 것으로 결과적으로 이 시기의 청동기가 중국의 문화권 내에 있었다는 것을 말해주고 있다고 할 수 있다.

이와 같이 베트남 지역에서는 사섭(士燮) 등 한인들이 존재를 통하여 알 수 있듯, 한인들이 2세기 후반에서 3세기 전반까지 지배권력을 형성하고 이들을 위하여 제작된 청동기의 일부에는 한자가 새겨진 것으로 여겨진다.

이러한 베트남 중부지역에서 발굴된 청동북의 연대는 짠단(Chanh Danh)의 것이 기원전 1세기에서 기원 1세기로 추정되고, 투언 닌(Thuan Ninh)의 청동북이 짠단의 것과 유사하지만 북면의 문양이 약화되어 약간 시기가 내려오는 2세기의 것으로 간주되어, 베트남 중부에서 출토되는 헤거 II식의 청동북의 연대는 기원전 1세기에서 기원 2세기의 것으로 추정된다.

이와 같이 베트남 중부 청동북은 기형과 문양이나 주조를 한 다음 정으로 문양을 새기는 기법 등이 타이 동부나 라오스 남부와 유사하여 베트남 중부, 타이 동부, 라오스 남부는 동일한 문화권에 속한 것을 알 수 있다. 나아가 베트남 중부의 청동북은 베트남 북부에서 생산된 헤거 I 식의 범주에 속하는 것이 대부분으로 베트남 중부의 청동북은 베트남 북부에서 생산되어 베트남 중부 및 라오스나 타이 등지로 반입된 것으로 여겨진다.

그리고 베트남 중부지역에서 발굴된 청동북은 발굴 당시 대부분은 거꾸로 된 상태로 발굴되어 베트남 중부에서 사후인(Sa Huynh) 문화의 시기에 옹광묘가 널리 유행한 사실을 감안하면 청동북은 옹광을 대신하여 사용된 것으로 여겨진다.

결과적으로 베트남 북부에서 기원전 5세기에 제작된 헤거 I 식의 청동북이 베트남 중부지역의 기원전 1세기에서 기원 2세기의 유적에서 지속적으로 발굴되고 있는 것을 확인할 수 있어 베트남 북부의 청동북이 중부지역까지 확대된 것을 확인 할 수 있다. 그리고 이러한 헤거 I 식의 반입은 베트남 중부이외 라오스 남부 등 베트남 중부와 지역적으로 가까운 지역까지 파급된 것으로 생각된다. 그러나 베트남 북부의 헤거 I 식의 청동북은 2~3세기에 이르면 베트남 지역뿐만 아니라 캄보디아, 타이, 말레이시아 등지에서 거의 보이지 않게 된다.

이와 같이 헤거 I 식의 청동북이 동남아시아에서 사라지는 배경에는 2세기부터 동남아지역에 파급되는 인도의 종교와 문화의 영향과 파급이 존재하고 있다. 이 시기 동남아시아 지역에서 인도의 영향으로 등장한 대표적인 유적으로 베트남 중부지역에 세워진 참파왕국이 있다. 결국 베트남 북부에서 제작된 헤거 I 식의 청동북은 2~3세기경 제작이 중지되고, 몇백년의 공백기를 거친 후에 11세기 경에 이르러 타이 북부의 카렌족에 의하여 청동북의 제작과 사용은 활성화된다.

카렌족의 청동북

카렌족이 제작한 청동북에 대한 연구는 1987년 버네트 켐퍼스(A. J. Bernet Kempers)의 연구에 의해 세상에 알려지게 되었다. 일반적으로 헤거 III 양식으로 알려진 카렌족의 청동북은 버강(Bagan)에 남아있은 문서로 늦어도 1093년 이전에 제작이 이루어진 것을 알 수 있고, 1924년 경까지 약 800년간 제작되어 미얀마, 타이, 라오스 등에 바친 공물로 사용되는 등 11세기 이후 동남아시아의 청동북을 대표한다고 할 수 있다.

이러한 카렌족 청동북은 샨(Shan)족이 제작한 것으로 추정되고, 제임스 조지 스코트(James George Scott)는 샨족에 의해 이루어진 청동북의 제작과정을 자세하게 밝히고 있다. 카렌족의 청동북은 헤거 III 형식의 것이 대부분으로 운남의 와(佤)족에서 발견된 청동북 양식과 유사하다. 북의 지름이 높이 보다 2.5센티 정도 작은 것이 특징이다. 문양으로는 북의 중앙에 불가사리 형태의 태양을 의미하는 문양을 중심으로 그 바깥 둘레에 새나 올빼미, 물고기, 능형 등이 사용되었다.

카렌족의 청동북의 문양은 기본적으로 이전 헤거(Heger) I 식에서 보이는 짧은 직선, 마름모형(능형), 물고기, 새 등의 고식적인 문양과 연꽃, 코끼리 등 이전 청동북에서 보이는 않은 새로운 문양 등이 혼재하여 사용되고 있다. 카렌족 청동북의 정중에 시문된 태양의 문양은

이전의 헤거 Ⅰ 식에서부터 보이는 동남아시아 청동북의 근간이 되는
핵심문양이다. 태양의 문양은 카렌족 청동북에서도 북면의 중앙에 놓
이고 있다.

9 Heger Ⅲ 식 카렌족 청동북　　　　10 카렌족 청동북의 태양과 연판문

이 태양의 문양은 시기에 따라 태양의 빛을 상징하는 가지 또는 줄기
가 북의 제작과 북의 가장자리에 장식된 개구리의 수에 따라 8개나 12
개로 변화는 특징이 있다. 일반적으로 태양의 가지는 한 마리의 개구리
가 장식되어 있을 때 태양의 가지는 8개가 많고 북의 가장자리에 세 마
리의 개구리가 있을 때에는 태양의 가지는 12개를 보이고 있다.

이 태양의 문양은 이전 베트남에서 보이는 청동북의 태양의 문양을
기본적으로 계승하고 있지만 구체적인 문양구성과 표현에서 약간 변형
이 보인다. 구체적으로 태양의 가지사이를 표현하는 방법에서 이전의
청동북과 차이를 보이고 있다.

카렌족의 청동북의 태양 문양에는 가지의 공간을 채우는 방식에서 이
전과 다르다. 이전 헤거 Ⅰ 식에서는 이 공간을 V자의 반복되는 문양을
빽빽하게 집어넣었지만, 카렌족의 청동북의 가지에는 이전에 전혀 보

이지 않았던 연판을 사용한다. 그리고 카렌족의 청동북에서 태양의 주변을 연판으로 장식하는 것은 이전에 보이는 않았던 특징으로 불교적인 요소가 적극적으로 반영된 것으로 해석할 수 있다.

이와 같이 카렌족 청동북에 사용된 연판문은 이전 청동북의 제작에서 주요한 배경이 되었던 자연을 숭상하고 자연과 하나가 되는 도가사상(道家思想)에 불교의 이데올로기가 적극적으로 반영된 것으로 해석할 수 있어 도가사상을 기반으로 불교의 이데올로기가 카렌족의 청동북의 주요 배경이 되고 있다는 것을 알 수 있다.

나아가 카렌족 청동북의 중앙의 문양으로 연판을 사용한 것은 동양에서 연꽃이 우주를 의미한다는 것을 감안하면 카렌족의 청동북에 보이는 태양과 연판은 모두 우주의 중심을 표현하고 있다는 점에서 공통적이고 태양이 도가적이고, 연판이 불교적이라는 차이가 있을 뿐 우주의 중심을 공통적으로 표현하고 있다는 점은 동일하다고 할 수 있다.

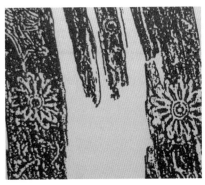 

⑪ 카렌족 청동북의 연꽃 문양　　　⑫ 카렌족 청동북의 여의두문

카렌족 청동북에는 중앙이외 그 바깥 부분에도 연꽃 문양이 적극적으로 사용된다. 연꽃 문양은 구체적으로 표현된 것과 약화된 것 등 다양

한 형태로 표현되어 있다. 그 밖에 카렌족의 청동북에는 동남아시아 고식의 청동북에 보이는 않는 코끼리 문양 등이 보여 청동북에서 동남아시아적인 현상이 보다 뚜렷하게 드러난다고 할 수 있다.

그리고 원(元)의 지배 및 원의 문화권의 형성이 뚜렷하게 전개되는 13세기 후반 이후에는 원대의 조형문화 특히 공예품에 적극적으로 사용된 여의문(如意文)이 카렌족의 청동북에 보여, 카렌족의 청동북의 문양은 기본적으로 고식의 문양을 유지하면서 시대에 따라 당시에 유행하던 문양을 적극적으로 수용한 것으로 생각된다.

결과적으로 카렌족 청동북에는 도가사상과 불교 그리고 유교의 시대사상을 반영하는 문양이 구체적으로 표현되어 청동북이 제작될 당시의 시대사상을 엿볼 수 있는 중요한 자료로 평가된다.

청동북은 중국 남부와 동남아시아 지역에서 널리 분포하고 있는 전통적인 금속악기이다. 동남아시아에서 청동북은 BC 5세기 전후 베트남 북부지역 동선에서 발견된다. 동선 청동북은 베트남 청동기문화를 대표하는 것으로 중국 남부의 청동북과 밀접한 관계를 보여, 동남아시아의 청동북의 기원은 중국 남부지방이라는 문화권에서 파악할 수 있고 구체적으로 동남아시아의 청동북은 중국 전국시대나 한대문화권의 범주에서 출발하고 있다고 할 수 있다.

그리고 이러한 동남아시아의 청동북은 베트남 북부에서 탄생하여 시대에 따라 베트남 중부나 타이 북부 등지에서 20세기 초반까지 제작되기에 이른다. 베트남 북부에서 제작된 고식의 헤거 I 식의 청동북은 BC 5세기 전후에 제작되었고 필리핀을 제외하고 동남아시아 전 지역에서 확인된다. 베트남 중부와 라오스 남부, 타이 동부에서 발굴되는 헤거 II

식의 청동북은 기원전 1세기에서 기원 2세기에 제작된다. 헤거 II 식에는 북면의 가장자리에 개구리가 장식되고 있다. 개구리는 애니미즘의 대상이면서 한편으로 청동북을 쳐서 개구리가 우는 효과를 내서 하늘에서 비가 내리도록 한 강우(降雨)의 역할을 한 것으로 추정된다.

그러나 동남아시아에서 2~3세기에 이르면 청동북의 제작은 중지되고 이러한 것은 베트남 중부지역에서 확인할 수 있다. 이러한 배경에는 동남아시아에서 전개된 인도화의 경향에서 찾을 수 있다.

동남아시아 지역에서 청동북은 11세기 카렌족에 의해 다시 활발하게 제작되고, 그들에 의한 청동북의 제작은 20세기 전반까지 이어진다. 카렌족의 청동북은 헤거 III 식에 속하고 기본적으로 실납법(Vanishing Wax Method)으로 제작된다. 문양은 헤거 I 식에서 보이는 새의 날개를 장식한 인간이나 날아가는 새등에서 고식의 문양이 보이지만 다른 한편으로 북의 가장자라를 코끼리로 장식하는 것 그리고 북의 정면에 태양의 빛의 가지사이에 동남아시아의 이데올로기를 상징하는 연판 등을 새겨 넣어, 카렌족의 청동북은 이전의 헤거 I 식이나 II 식에 비하여 동남아시아의 이데올로기인 불교가 깊숙하게 개입되고 있는 것을 알 수 있다.

그리고 카렌족의 청동북의 중앙에 장식된 태양과 연판은 우주의 중심을 의미하여 도교의 태양과 불교의 연꽃이라는 배경이 다르지만 우주의 중심을 표현하는 데 전통적인 도교와 새로 들어온 불교라는 시대사상을 적절히 표현한 것으로 생각된다.

이러한 동남아시아의 청동북은 동남아시아의 금속문화의 시원을 연구하는데 중요한 의미를 가지고 있고 각 지역에서 오랫동안 제작되어 동남아시아의 금속문화를 이해하는데 중요한 의미를 가지고 있다.

한편으로 동남아시아의 청동북의 존재는 동남아시아 고고학의 편년에 매우 중요한 의미를 가지고 있다. 왜냐하면 동남아시아에서 고고학적 편년에서 중요한 토기의 편년이 이루어지지 않아 유물의 연대를 결정하는 기준이 마련되어 있지 않기 때문이다. 이러한 면에서 동남아시아의 청동북에 대한 연구는 동남아시아의 금속문화의 시원과 동남아시아의 고고학적 편년에 매우 중요한 자료가 된다고 할 수 있다.

나아가 동남아시아의 청동북에 대한 연구는 중국 문화권과 밀접하게 관련된 한반도의 문화의 기원과 정체성을 밝히는데 많은 참고가 될 것이다. 그러므로 앞으로 중국 남부와 베트남 북부에서 전개된 제반 문화현상에 대한 연구는 중국문화권에 속해 있었던 한반도의 문화의 추이를 살피는데 중요하다고 할 수 있다.

이글은 「동북아문화연구」제27권에 게재된 논문을 수정, 보완한 것이다.